Moi, je m'en souviens

P9-CMD-926

DU MÊME AUTEUR

Québec quitte ou double, Éd. Ferron, 1970.

Oui à l'indépendance du Québec, Éd. Quinze, 1977.

Écrits polémiques, Éd. VLB, 1982-1983 ; Éd. Boréal, 1988.

Le plaisir de la liberté, entretiens, Éd. Nouvelle optique, 1983 ; Éd. VLB, 1987.

PIERRE BOURGAULT

Moi, je m'en souviens

Stanké

Données de catalogage avant publication (Canada)

Bourgault, Pierre

   Moi, je m'en souviens

   ISBN 2-7604-0351-3

   1. Québec (Province) — Politique et gouvernement
— 1976-1985. 2. Référendum — Québec (Province).
3. Québec (Province) — Histoire — Autonomie et mouvements indépendantistes. 4. Parti québécois. I. Titre.

FC2925.2.B68 1989   971.4'04   C89-096205-7
F1053.2.B68 1989

Photo de la page couverture : Stanké

© Les éditions internationales Alain Stanké, 1989

Tous droits de traduction et d'adaptation réservés ; toute
reproduction d'un extrait quelconque de ce livre par quelque
procédé que ce soit, et notamment par photocopie ou micro-
film, strictement interdite sans l'autorisation écrite de l'édi-
teur.

ISBN 2-7604-0351-3

Dépôt légal : deuxième trimestre 1989

IMPRIMÉ AU CANADA

À Simonne Monet-Chartrand
et à Michel Chartrand,
le sel de la Terre.

INTRODUCTION

Voici un livre que je n'avais pas envie de faire et que j'ai écrit sans plaisir. Certains diront que cela se sent.

Mais c'est un livre que je croyais devoir faire : d'abord pour exorciser mes propres démons, mais aussi pour tenter de renouer avec le fil de l'histoire.

On ne niera pas que ce fil a été cassé quelque part entre 1980 et aujourd'hui. Il n'est pas facile d'en savoir le pourquoi et le comment.

C'est pour répondre à cette question que je me suis assis malaisément à ma table de travail.

C'est aussi pour tenter d'en raccrocher les deux bouts avant que cela devienne impossible.

Raccrocher les deux bouts, cela veut dire faire la part de l'héritage qu'on se laisse de génération en génération et voir comment la dernière pourrait faire son bout de chemin sans avoir à renier tous les acquis du passé.

Or, quelque chose se passe depuis plus d'un an qui nous permet d'espérer que les jeunes vont faire le relais et que toutes les générations vont comprendre enfin la nécessité de faire l'indépendance.

En effet, toute une nouvelle génération renoue avec le militantisme des années d'antan et reprend à son compte une idée qu'on croyait moribonde.

Ils ne manifestent pas la même colère que nous parce qu'ils n'ont pas connu toutes les humiliations quotidiennes que nous subissions à l'époque. Mais, attention ! s'ils ont moins de colère, ils ont plus de caractère.

C'est la première génération de Québécois.

Nous avons dû devenir québécois après avoir été canadiens, puis canadiens-français. Pour beaucoup d'entre nous, le passage ne s'est pas fait sans heurts et certains n'ont pas encore réussi à se rendre jusqu'au bout.

Mais ceux et celles qui sont nés en 1970 ou en 1975 ont connu dès leur plus tendre enfance un paysage québécois, plus français qu'auparavant, dans lequel ils se sont inscrits plus naturellement. Ils sont nés dans le discours nationaliste qu'ils entendent depuis. Ils sont nés dans une culture québécoise bien vivante dans laquelle ils peuvent se reconnaître.

Ils sont québécois sans effort et sans hésitation.

Ils nous donnent envie de reprendre du service.

Ajoutons à cela un autre phénomène qui risque d'accélérer le mouvement : c'est le ressac du Canada anglais qui, certain de nous avoir matés en 1980, exprime avec mépris toute sa hargne et sa grogne contre le Québec. Surtout depuis un an. Avec une hypocrisie indescriptible, les Anglais du Canada feignent d'ignorer le sort qu'ils font subir à leurs minorités françaises pour se pencher avec tendresse sur ces pauvres Anglais du Québec que nous serions en train de martyriser.

Il se pourrait bien que, devant ce refus agressif d'intégrer un Québec distinct à l'ensemble du Canada, bon nombre de ceux qui ont voté NON en 1980 dans l'espoir de donner une dernière chance à la Fédération changent leur fusil d'épaule pour s'inscrire dans la mouvance indépendantiste.

Rien n'est sûr en ce domaine, mais le probable a fait des progrès marquants depuis un an.

Raccrocher les deux bouts du fil cassé.

Ce livre, je l'ai fait par nécessité.

J'ose croire que vous y trouverez quelque raison d'espérer.

Première partie

L'HISTOIRE
D'UN ÉCHEC

1

C'est arrivé peu de temps après le Référendum de 1980.

OUI : 40 %. NON : 60 %.

Il s'agissait là d'une défaite indéniable pour tous ceux et celles qui s'étaient regroupés sous le parapluie du OUI. On pouvait donc s'attendre à connaître une certaine période de découragement, ce qui ne manqua pas de se produire.

Rien de plus normal ; c'est ainsi que se passent généralement les choses. Par ailleurs, on sait d'expérience qu'il suffit d'attendre quelques semaines ou quelques mois pour voir réapparaître chez la plupart des militants et des militantes l'enthousiasme qui les avait portés jusque-là et qui pourrait de nouveau soutenir leur action.

Il suffisait de réfléchir un peu : 40 % des voix, ce n'est pas peu. C'est 80 % de la distance à parcourir avant d'atteindre le but.

Dans n'importe quel pays du monde, en toutes circonstances et en tout temps, quiconque obtient 40 % des voix sait que la victoire est désormais possible et redouble d'ardeur jusqu'à l'obtenir.

C'est ce qui aurait dû se passer ici au lendemain du Référendum et c'est ce qui ne se passa pas.

Il se passa plutôt quelque chose d'inouï, d'invraisemblable, de proprement aberrant et de profondément choquant pour nombre d'observateurs étrangers sympathiques à la cause.

Au lieu de souligner la remarquable performance des souverainistes, au lieu de fouetter les troupes et de les engager dans un nouveau combat, au lieu d'imaginer la stratégie qui allait permettre d'obtenir, une prochaine fois, les 11 % de voix qui manquaient pour transformer une défaite en victoire, au lieu de souligner la formidable progression d'un mouvement qui, en moins de 20 ans, avait conquis près de la moitié du peuple québécois, René Lévesque sauta sur le prétexte pour amorcer ce qui allait devenir l'une des plus tragiques débandades de notre histoire.

Il déclara que, le peuple s'étant prononcé, on n'avait plus d'autre choix que de se soumettre à ses vœux et de déclarer forfait.

Comme d'habitude, on pouvait comprendre et interpréter le message de René Lévesque de maintes façons. Il était juste assez clair pour que

les adversaires y voient une reddition incondi-
tionnelle et juste assez flou pour que les alliés,
désormais totalement conditionnés, acceptent de
faire encore un bout de chemin.

Il était clair dans l'esprit de tous, et personne
ne le nia, que le gouvernement québécois s'était
vu refuser le droit d'engager des négociations avec
le gouvernement fédéral en vue d'en arriver à...
je ne sais trop quoi.

Il était également clair dans l'esprit de tous
que le peuple québécois n'avait pas interdit aux
tenants de la souveraineté d'en parler, de la
promouvoir et d'engager de nouveaux combats
dans le but de le convaincre de se la donner.

Mais, selon toute apparence (et la suite des
événements le démontrera à l'envi), René Lévesque avait décidé de n'en plus parler et de ne plus
se battre pour l'obtenir.

Il avait mis tous ses œufs dans le même panier,
il avait fait du Référendum le combat ultime et,
par conséquent, il fallait maintenant mettre un
terme à la belle aventure. Il faut ajouter que,
comme d'habitude, il n'avait pas imaginé de stratégie en cas de défaite.

Deux pistes s'ouvraient alors devant lui :
recommencer le combat jusqu'à la victoire finale,
ou s'avouer vaincu (en prétextant la volonté du
peuple) et se tourner vers Ottawa pour tenter de
sauver les meubles que Pierre Elliott Trudeau avait
si sérieusement amochés.

Il choisit la deuxième. Pierre Trudeau avait immédiatement flairé la manœuvre. Son adversaire était au tapis ; il n'avait plus qu'à marcher dessus. C'est ce qu'il fit, sans esprit, sans délicatesse et sans remords aucun.

J'en aurais fait autant.

2

On a souvent dit que la défaite du Référendum a marqué le tournant décisif qui allait provoquer la suite inéluctable des événements.

Pour ma part, je n'en crois rien.

C'est un peu plus tard que fut pris le tournant fatal : quand René Lévesque eut conclu qu'il avait perdu la guerre. C'est alors qu'il désamorça sans coup férir — après avoir pris soin d'anesthésier les troupes — le projet québécois le plus vital, le plus ambitieux et le plus significatif du XXᵉ siècle.

Aux militants et aux militantes qui s'apprêtaient à remonter au combat, il offrait la triste figure d'un homme battu, désemparé, pressé d'en finir. Il savait qu'il n'avait pas 20 ans de pouvoir devant lui. Il savait qu'il devrait passer la main. Il savait qu'il n'aurait sans doute pas l'occasion de refaire une autre fois le coup du Référendum.

Il savait qu'il vieillissait.

Il avait toujours fait commencer l'histoire du Québec moderne avec lui et c'est avec lui qu'elle devait se terminer.

Sauver les meubles, cela correspondait bien à sa mentalité d'assiégé.

Il changea donc de cap. Plus autoritaire que jamais, il imposa ses vues au Parti québécois, qui n'en pouvait mais...

Encore une fois, Malbrough s'en va-t-en guerre. Il se dit prêt à courir « le beau risque ».

Il est vaincu, il n'a pas de munitions, il s'en va se battre sur le terrain miné de l'adversaire dont il sous-estime encore une fois la force. Qu'à cela ne tienne ! Il n'aura qu'à répéter encore une fois qu'il s'agit de stratégie et que toute son agitation n'a qu'un but : faire avancer la cause. Ne lui demandez surtout pas laquelle, il n'en sait plus rien.

Et il part au front comme il y est toujours parti : des alliances douteuses avec nos pires adversaires, des coups de gueule qui tiennent lieu de projet, un jeu défensif qui frise la paranoïa, un brouillon de stratégie improvisé sur la table de cuisine, l'assurance empruntée de la victoire et, partant, rien de prévu en cas d'échec.

On sait bien que les stratégies ne servent que dans les situations difficiles. Quand tout va bien, la plupart du temps on n'a qu'à suivre son instinct et à compter sur les chances qui s'offrent inévitablement aux gagnants. Mais les batailles périlleuses qui mettent en présence des forces inégales, ces combats où la victoire est loin d'être assurée, exigent des stratégies précises, rigoureuses, et qui tiennent compte de toutes les possibilités, y compris celles où il faudra se retrancher, reculer, perdre des troupes, reprendre l'assaut.

René Lévesque n'en a cure. Il va jouer son va-tout, comme il l'a toujours fait, en ne comptant que sur ce merveilleux instinct qu'on lui prête et qu'il n'a pas.

Claude Morin, évidemment, est aux oiseaux. Il n'aura pas à se battre, il pourra négocier tout son soûl.

Mais négocier avec qui ? Voilà la question.

Trudeau fonce tête première. Il va rapatrier la Constitution, il va la modifier comme il l'entend et il va y « enchâsser » sa Charte des droits.

Quelques protestations s'élèvent-elles en certains milieux ? Qu'à cela ne tienne, on aura recours aux tribunaux, qui auront vite fait de trancher la question : non, le geste de Trudeau n'est pas illégal. Il manque peut-être d'élégance — on sait depuis longtemps que Trudeau en est totalement dépourvu —, mais *il n'est pas illégal.*

Cet homme a des idées... fixes.

À force de manier les sous-entendus pendant la campagne référendaire, il a réussi à faire croire à des fédéralistes sincères et de bonne foi qu'il allait servir leurs aspirations en réformant le fédéralisme canadien pour lui donner plus de souplesse.

Naïvement, on l'a cru. Mais ce n'est pas de ce pain-là que se nourrit l'outrecuidant.

Il n'a toujours qu'un seul but : humilier le Québec et le remettre à sa vraie place au sein de la Fédération canadienne, c'est-à-dire à la dernière.

À ce jeu, il risque peut-être d'égratigner quelques susceptibilités provinciales. Il s'en manifeste déjà quelques-unes. Claude Morin va tenter de les aviver.

Il faut encore une fois souligner la naïveté de ces deux hommes : René Lévesque et Claude Morin.

Ils croient tous deux en la bonne foi des Anglais. Pour sa part, René Lévesque a toujours préféré être applaudi par ses adversaires plutôt que par ses alliés. Il croit sans doute que c'est là la récompense venant à celui qui a toujours manifesté son bel esprit libéral. On se prémunit ainsi contre les accusations de racisme ou de fanatisme. À coup sûr, on y gagne en prestige ce qu'on perd sur le terrain.

L'histoire a beau démontrer à tous ceux qui ne sont pas aveugles ou sourds que les Anglais du Canada ne veulent pas d'un Québec différent, qu'ils ont tout fait, aussi bien au Québec que dans les autres provinces, pour assimiler les franco-

phones, qu'ils ont triché, qu'ils ont menti, qu'ils
ont maintes fois renié leur parole, qu'ils n'ont rien
oublié de la victoire des plaines d'Abraham ou du
rapport Durham, on décide quand même qu'ils
feront de merveilleux alliés dans la bataille qui
s'amorce avec le Prince.

Cette naïveté, on la retrouvera tout au long
de la carrière de René Lévesque et je ne finis pas
de m'en étonner. (Ne croyait-il pas que les Anglais,
après un OUI au Référendum, accepteraient
démocratiquement le choix des Québécois et leur
laisseraient le loisir de proclamer leur indépendance sans s'y objecter ?)

Il a toujours sous-estimé ses adversaires tout
en leur donnant une importance démesurée. Le
cas Trudeau est flagrant : Lévesque bâcla toutes
les batailles qu'il fit contre lui, estimant pouvoir
improviser la victoire, mais, d'autre part, il affirma
maintes et maintes fois qu'il fallait attendre le
départ de Trudeau pour espérer gagner quoi que
ce soit. Sous-estimation d'un côté, fixation de
l'autre.

Quoi qu'il en soit, en cette année 1982, appa-
remment fort d'une écrasante victoire électorale,
Lévesque croit bon de s'allier aux premiers
ministres d'une majorité de provinces cana-
diennes. On allait voir ce qu'on allait voir. Trudeau
n'avait qu'à bien se tenir ! L'alliance des méchants
séparatistes et de tous les diables de l'enfer allait
former l'armée invincible contre laquelle le Prince
allait, cette fois-ci, se casser les dents.

Claude Morin vole de capitale en capitale. On ne l'a jamais vu si heureux. Déjà soulagé de n'avoir pas à assumer le pouvoir d'un Québec indépendant, le plongeon tête première dans des négociations contre nature le ravit jusqu'à l'orgasme.

De l'autre côté, on jouit moins mais on agit plus efficacement. Trudeau délègue son fier-à-bras, Jean Chrétien, dans tous les recoins de la Fédération et celui-ci, qui ne parle que des langues secondes, refait pour la centième fois le travail pour lequel il est le mieux fait : le tordage de bras.

Pour les naïfs, le suspense commence. Qui donc sortira vainqueur de ces nouvelles péripéties constitutionnelles ? Sera-ce le jars d'Ottawa à qui on coupera enfin les ailes ? Ou sera-ce le paon de Québec qui recommence à faire la roue depuis qu'il s'est trouvé des admirateurs à l'ouest de la capitale, courtisans qui le traitent déjà de « grand Canadien » pour mieux lui faire sentir le prix de leur alliance ?

Les moins naïfs ne se font guère d'illusions. On sait déjà que le paon est mortellement blessé et que le jars, s'il a moins de queue, a plus de bec.

Il y a aussi toute la différence qui sépare les deux adversaires et qui permet de prophétiser, presque à coup sûr, l'issue du combat.

D'un côté, René Lévesque : inconstant dans la définition de ses objectifs, préférant la défensive à l'attaque, empêtré dans ses principes contradictoires, il aime bien gagner mais il accepte de bon gré la défaite, en la déguisant en victoire morale ou en l'imputant au peuple-qui-n'est-pas-encore-prêt.

De l'autre, Pierre Trudeau : une seule idée fixe, le mépris total de l'adversaire, l'absence de scrupules dans les moyens, les-principes-c'est-pour-les-autres, et la victoire à tout prix. Il ne sait pas perdre et il se fout totalement du peuple. Il sait le faire marcher : au sourire, à l'insulte ou à la trique.

Les grandes manœuvres ! Tout le beau monde est là. La télévision aussi, pour le spectacle.

Trudeau est magnifique. En pleine possession de ses moyens — n'importe lesquels —, il joue de la détente et du ressort. Il pourrit l'ambiance pour la rasséréner aussitôt. Il menace, il cajole, il feint, il rit, il grimace.

Le front commun des provinces semble tenir. Se pourrait-il que ?...

Feinte suprême, Trudeau annonce un accord avec le Québec. Triomphalisme de bon aloi dans la province française, qui croit que les frères ennemis sont enfin réconciliés. Surprise chez les autres qui flairent le piège.

Le spectacle continue. Les choses ne sont plus aussi certaines qu'elles en avaient l'air.

Et puis, on se couche à Hull pendant qu'on veille à Ottawa.

Que s'est-il passé au juste le soir de cette fameuse nuit ou la nuit de ce fameux jour ?

Claude Morin nous en a raconté depuis toutes les péripéties.

Au matin, le front commun des provinces est brisé en mille morceaux ou plutôt en deux. Le Québec se retrouve seul, Gros-Jean comme devant.

Surprise et consternation. On crie à la trahison ! Les Anglais nous ont lâchés. La belle affaire !

Le tordage de bras a réussi : « Surtout, n'accordez rien au Québec, il pourrait se servir de quelques accommodements pour franchir le seuil fatal vers l'indépendance ! Et n'oubliez pas que vous négociez avec des séparatistes ! Ils ont perdu une bataille, mais ils pourraient revenir à la charge... Attention ! Lévesque ne dit pas le fond de sa pensée ! Il fait semblant de collaborer, mais sait-on jamais ?... »

Toujours est-il que tout s'effondre.

Lévesque est furieux. Encore une fois, il avait mis tous ses œufs dans le même panier et voilà que quelqu'un a mis ses gros sabots dedans. Omelette indigeste ! Le retour d'une histoire qu'on se refuse de reconnaître pour ce qu'elle est : les Anglais ont encore gagné en se servant de l'un « des nôtres » pour arriver à leurs fins. Laurier, Saint-Laurent, Trudeau. Vous avez dit : « des nôtres » ?

Vite, rentrons chez nous, dans notre petite réserve, en dénonçant bien fort les méchants traîtres qui nous ont joué dans le dos pendant la nuit et en évitant de souligner l'alliance contre nature qui nous a menés jusque-là !

Jamais sa faute, toujours celle des autres.

Oui, Lévesque est furieux. Et quand Lévesque est furieux, il perd la tête. Il affirme qu'on ne peut plus parler à ces gens-là, qu'il faut faire l'indépendance au plus sacrant, qu'on ne l'y reprendra plus et qu'il faut descendre dans la rue.

Et Lévesque descend dans la rue, à la tête des 10 000 personnes réunies là pour commémorer cette brillante défaite. C'est avant et pendant la bataille qu'il fallait manifester, pour montrer sa force, pour exciter les esprits, pour rallier les enthousiasmes. Mais non, ce n'est pas le genre de Lévesque. C'est trop dangereux. Ça pourrait dégénérer. On descend dans la rue quand on a tout perdu. Quel geste dérisoire ! Quelle abjecte soumission !

Claude Morin lui-même est ébranlé. Encore une fois, la négociation n'a rien donné. Pourrait-il s'être trompé ? Pourrait-il s'être trompé d'alliés ? Pourrait-il s'être enfargé dans les obstacles qu'il croyait avoir érigés pour les autres ?

Il ne semble pas. C'est la faute des autres. Monsieur reste quand même insulté, quand même humilié. Il a été trompé, il a été trahi.

Il affirme donc que jamais plus il ne pourra parler à ces gens-là, en foi de quoi il vaut mieux qu'il se retire de la politique.

Ce qu'il fait, avec élégance comme toujours, en vrai ministre des Affaires étrangères qu'il se veut être.

Ce geste est ridicule, mais personne n'en rit. Et pourtant, on aurait beaucoup ri si Talleyrand avait un jour annoncé qu'il ne pouvait plus supporter l'idée de négocier avec les adversaires de la France !

Tout se précipite. Trudeau rapatrie en vitesse le vieux document qui traîne à Londres. C'est Jean Chrétien qui ira le chercher. Suprême récompense pour le fier-à-bras : il rencontre la reine d'Angleterre qui fait semblant de le reconnaître.

On met le point final à la « réforme ». Et puis, il y a la Charte des droits. Trudeau l'a enfin, sa Charte « enchâssée » dans la Constitution.

On n'y voit que du feu. Voilà que nous sommes devenus le peuple le plus libéral, le plus démocratique du monde. La Charte !

C'est là le vrai testament de Pierre Trudeau. La Constitution, amendée ou pas, continuera de baliser les lois surannées d'un pays empesé, pendant que la Charte, conçue spécifiquement contre le Québec, secouera le pays de fond en comble, fera la fortune des avocats et des chialeux, réduira les libertés collectives à la portion congrue et fera de la dictature des minorités la loi absolue de la nouvelle jungle canadienne.

Elle est là la Charte, toute nouvelle et toute belle, et le bon peuple fera semblant de croire que Trudeau est un libertaire et qu'il est né de la cuisse de Voltaire.

3

Pendant ce temps, Lévesque ne décolère pas. Vivement l'indépendance pour nous débarrasser de ces méchants Anglais qui, malgré les courbettes multipliées à leur endroit, ne comprennent toujours pas la richesse de ses intentions.

Les militants et les militantes n'en reviennent pas. Quoi ? Leur vieux chef, qui les retient depuis si longtemps, qui fait toutes les pirouettes possibles pour éviter de nommer la chose, qui s'enfarge dans les virgules et les traits d'union, rue maintenant dans les brancards ? C'est à n'y rien comprendre.

En tout cas, on est contents. Profitons-en pendant que ça passe. On s'agite dans les rangs, on met les bouchées doubles, on se remobilise, on retrouve l'enthousiasme d'antan. L'indépendance, c'est pour demain !

Congrès du Parti québécois. On y ovationne des ex-membres du Front de libération du Québec (FLQ). Colère de Lévesque. On y vote à tour de bras des propositions toutes plus généreuses les unes que les autres. On fait sauter le trait d'union. On va jusqu'à biffer le mot *association.* N'est-ce pas ce que Lévesque lui-même avait conseillé ? N'est-ce pas lui qui a dit qu'on ne pouvait plus faire confiance à ces gens-là ? N'est-ce pas le chef bien-aimé qui a lancé ses troupes sur le sentier de la guerre ?

La prochaine élection sera référendaire ou ne sera pas. Re-colère de Lévesque.

Il avait soufflé le chaud, maintenant il souffle le froid, comme à son habitude. Un pas en avant, deux pas en arrière. M. Lévesque est très très choqué. Il déclare donc que le congrès n'a pas eu lieu. Lui n'étant pas d'accord, il est évident que ce congrès n'a pas eu lieu.

Le dictateur tonne et tempête. La troupe n'y comprend plus rien. Servile, elle avait toujours accepté ses sautes d'humeur et s'était accommodée de ses états d'âme. Elle venait de le faire avec d'autant plus d'ardeur que les cris enflammés du chef correspondaient enfin à ses plus profondes convictions. C'était le mal connaître. Il venait encore une fois de changer d'idée.

Les décisions du non-congrès furent donc annulées et le chef imagina un stratagème pour reprendre les choses en main : un nouveau congrès-référendum.

C'est à ce moment précis que je décidai de rompre pour toujours avec cette girouette qui, de toute évidence, était incapable de tenir le cap dans une direction donnée.

Je m'étais maintes fois querellé avec M. Lévesque et j'avais depuis longtemps quitté le Parti, mais il me restait encore ce petit quelque chose d'inexplicable qui m'attachait à lui et qui m'empêchait de consommer la rupture. Cette fois, c'en était fait. J'écrivis alors un texte violent qu'on me reprocha vivement à l'époque, mais dont on a aujourd'hui mesuré l'étendue presque prémonitoire. Ce texte n'est pas inédit, mais je le reproduis ici parce qu'il s'intègre parfaitement dans le cours de mon récit. Je n'en renie pas un mot :

« La vraie question

Le canon tonne et la musique éclate. C'est la bataille. Le vieux général, en compagnie de son aide de camp, complète sa stratégie. Cette fois, il a pensé à tout : il ne peut pas perdre. Le Référendum : gagné ! Le droit de *veto* : retenu ! L'association : maintenue !

Le vieux général jubile. Son aide de camp, prenant son courage à deux mains, souffle dans l'oreille de son chef : « Mais la souveraineté, mon général ? » Le général hausse les épaules, esquisse une grimace et éconduit l'aide de camp.

Il reste seul à savourer son triomphe.

D'un seul coup d'œil, il embrasse toute son armée de soldats de plomb rangée en bataille sur son bureau.

Il est vengé. Les batailles perdues ne sont plus que souvenir. Il gagne maintenant. Et il se retrouve enfin seul, comme il l'avait toujours souhaité.

Tout autour de lui, le terrain est occupé par l'ennemi. Qu'à cela ne tienne ! Il gagne, seul contre tous. Il suffisait d'y penser.

René Lévesque a bazardé le droit de *veto* du Québec. Aujourd'hui, seul dissident de son parti, il impose son droit de *veto* à ses troupes.

René Lévesque a été trahi par le Canada anglais, qui a fait sauter l'association qu'il avait eu tant de peine à construire. Qu'importe ! Il commande à ses troupes de maintenir l'association.

René Lévesque a perdu le Référendum du 20 mai. Qu'à cela ne tienne ! Il en tiendra un autre au sein de son parti pour se convaincre qu'il est toujours le chef d'un peuple en désarroi.

Les batailles qu'il a perdues sur le terrain, il les reconstitue maintenant sur son bureau avec son armée de soldats de plomb, et il gagne ! En tournant ses canons contre sa propre armée. Ça, c'est de la stratégie !

Dans la pièce d'à côté, le général Trudeau rigole doucement.

Et moi, je suis à la fois triste et furieux. Triste de voir tomber si bas un homme en qui nous avions mis tous nos espoirs. Furieux de le voir nous entraîner avec lui dans sa chute.

Jonestown ! Trois cent six mille personnes, les membres du Parti québécois, le verre de Kool-Aid à la main, attendent l'ordre du chef.

Car c'est bien de cela qu'il s'agit. René Lévesque, rageusement, s'apprête à détruire son parti, et peut-être son gouvernement. Fasse le ciel qu'il ne soit pas conscient de ce qu'il fait. Autrement, comment pourrions-nous jamais lui pardonner ?

Tout cela a commencé, il y a près de 14 ans, au premier congrès du MSA. Les délégués s'apprêtant alors à voter une proposition devant faire du Québec un pays unilingue français, René Lévesque fit savoir à tous qu'il démissionnerait si la proposition était adoptée. Elle fut battue.

Le lendemain, Jean Lesage demandait à quelqu'un des nouvelles du congrès du MSA. « Lévesque a mis sa tête à prix », lui fut-il répondu. Et Jean Lesage d'ajouter : « Déjà ! »

C'est qu'il se souvenait, Jean Lesage, de ce René Lévesque qui, pendant six ans, avait maintes fois menacé de démissionner du Parti libéral quand on osait s'opposer à ses prétentions.

Combien de fois, depuis 14 ans, René Lévesque n'a-t-il pas mis sa tête à prix quand son parti osait n'être pas totalement d'accord avec lui ?

Le « Crois ou meurs ! » de René Lévesque, je l'ai
vécu dans mes tripes à maintes reprises, comme
des milliers d'autres membres du Parti québécois.

Mais, cette fois, c'en est trop. Il ne fait plus
de manières, le père Lévesque. Il frappe à tour
de bras, ouvertement, sans plus tenter de cacher
son jeu. Au risque de détruire tout ce que des
dizaines de milliers de militants et de militantes
ont mis tant d'années et tant de peine à construire.

Il organise un référendum bidon au sein de
ses troupes pour se faire plébisciter. Il exige la
soumission, par écrit, de ses députés et ministres.
Il maintient un suspense qui menace la stabilité
même de l'État québécois. Il se donne en spectacle
au monde entier qui ne peut que conclure que le
Québec est dirigé par un irresponsable.

Quelle tragédie !

Et tout cela au nom de la démocratie. Quelle
farce !

Il dénonce « le visage aberrant du huitième
congrès du PQ ». Deux mille délégués qu'il frappe
d'illégitimité. Parce qu'ils ont osé s'opposer, pour
une fois, à la volonté du chef.

L'association d'abord. Les délégués ont décidé
de la maintenir au programme mais en appendice
de la souveraineté. Ils ne veulent plus qu'elle ait
le même poids que René Lévesque lui avait donné
ces dernières années.

Il n'y aurait jamais eu de querelle sur cette
maudite association si René Lévesque lui-même,

en octobre 1979, ne l'avait rendue indispensable au même titre que la souveraineté, et cela en contradiction avec le programme officiel du Parti.

C'est pour se prémunir contre ces déviations de René Lévesque que les délégués ont décidé de lui enlever la possibilité d'agir unilatéralement en cette matière importante.

C'est parce qu'ils se sont fait fourrer dans deux élections où l'on avait mis la souveraineté en veilleuse et dans un référendum où l'on parlait plus d'association que de souveraineté qu'ils ont décidé de couper la langue à un chef trop bavard sur l'accessoire et trop muet sur l'essentiel.

René Lévesque tente aujourd'hui de faire croire que les délégués sont contre l'association avec le Canada. Il n'en est rien. Même au temps du RIN, nous parlions d'association avec le Canada, mais nous ne nous en servions jamais pour évacuer de nos discours l'essence même de notre combat : l'indépendance du Québec.

Il en fut de même au Parti québécois jusqu'en 1974. Puis vint le grand virage. Il ne fut plus, dès lors, question que d'association.

Les délégués du huitième congrès n'ont fait que revenir à l'essentiel.

On a dit qu'ils se radicalisaient. On veut rire sans doute. Des indépendantistes, dans un parti voué à l'indépendance du Québec, veulent parler d'indépendance et on dit qu'ils se radicalisent ?

Les délégués du huitième congrès ont mis l'association en veilleuse en espérant que René Lévesque parle enfin de souveraineté. Où est le mal ? Est-ce là une raison pour démissionner de la présidence du Parti ?

Et puis on a voté une proposition qui reprenait la politique officielle du Parti à ses débuts : une proposition qui veut que le Parti québécois, à la suite d'une élection où il aurait obtenu la majorité des sièges, puisse engager le processus devant mener à l'indépendance. Proposition assortie de l'obligation pour le gouvernement de soumettre au peuple, par voie de référendum, la nouvelle Constitution du Québec.

Je répète qu'il s'agissait là de la politique du Parti pendant plusieurs années. Politique entérinée par René Lévesque lui-même dans des déclarations publiques proférées en 1971.

Il n'y a donc pas de quoi en faire une maladie.

On peut ne pas être d'accord et on peut trouver moralement agaçante l'absence du recours à une majorité des voix. Cela s'arrange. Et, à la suite du congrès, les plus « radicaux » des délégués ont affirmé sans ambages que cela pouvait s'arranger. Mais René Lévesque a fait semblant de ne pas les entendre.

D'autre part, quelques hystériques, encouragés par René Lévesque lui-même, ont prétendu qu'il s'agissait là de la mesure la plus antidémocratique qui soit.

Tout notre système est pourtant basé sur ce mécanisme. Tous nos gouvernements sont élus à la majorité des sièges. Le système n'est peut-être pas parfait, mais personne ne prétend qu'il soit antidémocratique.

M. Trudeau, à ce que je sache, n'a pas obtenu une majorité des voix lors de la dernière élection fédérale. Cela ne l'empêche pas de faire « l'indépendance du Canada », comme il dit.

Boiteux, certes. Perfectible, sans doute. Antidémocratique ? Mon œil.

Les droits des minorités ? Une proposition visant à les réduire a été battue au congrès. Il est malhonnête de s'en servir pour tenter de prouver que les délégués avaient perdu les pédales. Et René Lévesque a tort de s'en servir comme prétexte.

La mécanique du congrès ? C'est vrai qu'elle est aberrante. Elle l'a toujours été et elle l'était également au temps du RIN. Elle l'est dans tout congrès démocratique.

Il n'est pas facile de faire fonctionner une machine démocratique et René Lévesque devrait le savoir plus que quiconque. Est-ce une raison suffisante pour frapper d'interdit 2 000 congressistes qui ont tenté, malgré tout, de se débrouiller comme ils le pouvaient avec cette maudite machine ?

Ajoutons que toutes les propositions qui ont eu l'heur de faire sortir René Lévesque de ses gonds avaient été votées démocratiquement dans les comtés au mois de septembre et que le cahier complet de ces propositions avait été distribué à tous plus de trois semaines avant le congrès.

Donc, pas de surprises. Tout le monde savait à quoi s'en tenir et les batailles pour ou contre telle ou telle proposition auraient dû se faire avant et pendant le congrès, non pas après comme le fait René Lévesque.

Améliorer le mécanisme ? Bien sûr. Mais désavouer le congrès sous ce prétexte, c'est désavouer toute l'action démocratique du Parti québécois depuis sa fondation.

C'est exactement ce que fait René Lévesque et je le dis sans détour : il s'agit là d'un geste totalitaire sans précédent dans l'histoire politique récente du Québec.

Toujours au nom de la démocratie, René Lévesque désavoue 2 000 délégués démocratiquement élus, il leur passe par-dessus la tête pour en appeler aux 300 000 membres du Parti.

C'est un geste tout à fait odieux. Il rappelle étrangement ces petits dictateurs d'extrême droite qui dénoncent les congrès syndicaux où des milliers de délégués, selon leurs dires, ne seraient pas représentatifs de la base.

Nous avons souvent entendu cette chanson. Mais elle fait mal à entendre dans la bouche de René Lévesque.

Et il parle d'agents provocateurs ? Qu'il les nomme au lieu de laisser planer le doute sur la tête de 2 000 personnes.

C'est 2 000 personnes qu'il envoie promener du revers de la main en exigeant qu'on reprenne l'élection des délégués dans tous les comtés avant la tenue d'un congrès spécial.

Cela est grave, extrêmement grave. René Lévesque accuse les membres militants de son parti comme aucun adversaire n'aurait osé le faire. Il discrédite dans la population son propre parti. Il le traîne dans la merde. Il le détruit.

Il invente de toutes pièces une situation dramatique qui ne peut servir que des intérêts mesquinement personnels.

Mais puisqu'il désavoue le huitième congrès, puisqu'il décide, unilatéralement, que toutes les propositions qui y furent votées sont nulles et non avenues, il faut qu'il aille au bout de sa logique. Le nouvel exécutif du Parti n'a pas été élu et Louise Harel est toujours vice-présidente du Parti. Allons plus loin : puisque l'exécutif n'a pas été élu, comment peut-il prendre la décision de tenir un référendum dans le Parti ?

M. Lévesque nous dit qu'il n'y a pas eu de congrès. Soit. Allons jusqu'au bout. Et décidons ensemble que le congrès n'a pas eu lieu.

Étrange ressemblance entre René Lévesque et Pierre Trudeau. Celui-ci ne prétend-il pas que le gouvernement de René Lévesque n'a jamais existé et que le peuple québécois l'appuie ?

Tenons donc un référendum.

Un référendum bidon, avec une question bidon, comme dans le vrai Référendum. Une question à laquelle tout le monde ne peut que répondre oui sans se renier soi-même. C'est truqué. C'est arrangé pour gagner coûte que coûte. Et il va gagner.

Mais ce n'est pas la bonne question. La bonne question, osons enfin la formuler : « L'indépendance du Québec ou René Lévesque ? Choisissez. »

Parce que cet homme-là ne nous a jamais menés à l'indépendance, et il ne nous y mènera jamais.

Petit référendum bidon de petit despote de province.

Et la démocratie là-dedans ? Il faudra combien de réponses pour que ce référendum soit valide ? « Cent mille », a dit René Lévesque. Un tiers du Parti. René Lévesque accepterait-il de former le gouvernement si seulement le tiers des Québécois votaient lors d'une élection provinciale ? Et c'est lui qui répugne à la majorité des sièges ? Étrange.

Et pendant que nous y sommes, peut-être faudrait-il que M. Lévesque pose aussi sa question en anglais pour respecter la diversité du Parti !

Pourquoi pas ? L'absurdité ne commande-t-elle pas l'absurdité ?

Et la majorité des voix, c'est quoi ? Cent cinquante-trois mille, monsieur Lévesque. Cent cinquante-trois mille !

Quelle folie !

Un beau petit référendum sur la tête de René Lévesque. « M'aimez-vous ? demande-t-il. Oui ou non, et une fois pour toutes, pour l'éternité. » Pendant ce temps, le bon chef n'a pas besoin de discuter les idées, il peut passer à côté des questions, il peut renvoyer tout le monde dos à dos.

Étirons la crise jusqu'en février. Maintenons les gens dans l'incertitude. Partira, partira pas ? Quel enjeu sinistre et quel sinistre chantage !

Le terrain est occupé par l'ennemi. Le chef tonne et éclate de rage. Les troupes le suivent, elles sont gonflées à bloc. Maintenant, la vraie bataille.

Mais le chef se dégonfle et démobilise tout le monde. Il se venge sur son parti. Il se suicide et demande à tous d'en faire autant. La terre brûlée. Allons-y gaiement. Le Parti en désordre, le peuple en désarroi.

Pendant que l'ennemi occupe le terrain, nous discutons du sexe des anges. Le petit homme a simplement oublié qu'il était aussi Premier ministre du Québec. Ça ne se fait pas, mais il le fait.

N'ayons pas peur des mots : le chef a perdu la tête et il nous demande à tous d'en faire autant.

Et pendant ce temps, que font nos 80 élus à Québec ? Ils signent leur soumission en s'en prenant aux 73 d'Ottawa qu'ils accusent de bêler devant Trudeau.

Trudeau gagne, lui, au moins !

Et vienne la purge, au plus tôt.

Encore une fois, on revient au début. Lévesque n'a jamais été le rassembleur qu'on a voulu faire de lui. L'unité des indépendantistes s'est faite contre sa volonté en 1968.

Il aurait souhaité, à l'époque, que le RIN continue d'exister pour servir de repoussoir et faire les *jobs* sales.

Il souhaite encore aujourd'hui que des milliers, parmi ses plus farouches militants et militantes, quittent le Parti pour aller en fonder un autre. Un autre parti, sur sa gauche, qui pourrait servir de repoussoir et faire les *jobs* sales.

Monsieur ne négocie pas, il rompt. Monsieur ne veut pas d'alliés, il veut des fantassins inconditionnels qui font du porte à porte, qui ramassent de l'argent, qui se font chier à l'année longue dans les sous-sols d'église, qui entretiennent et qui huilent la-machine-à-faire-élire-Lévesque. Ils les veut muets et sans nom. Comme Duplessis. Comme Trudeau.

Quelle honte ! C'est avant tout ce sentiment qui m'habite aujourd'hui. Après avoir été humiliés par Trudeau, voici que nous devons passer sous les fourches caudines de Lévesque. Ce qu'on l'a massacré ce pauvre peuple depuis 20 ans ! Et croyez-moi, j'en prends ma part de responsabilité.

Vivement qu'on nous débarrasse de ces deux hommes qui détruisent le Canada et le Québec. Ces deux hommes qui, au fond, ont toujours méprisé les Québécois et les Québécoises. Le Québec, pour eux, n'est qu'une vue de l'esprit. Un Québec qu'on peut brader, associer à n'importe qui et n'importe comment, détourner de ses fins, vendre pour une bouchée de pain, se disputer, assis dessus.

Mais les Québécois et les Québécoises là-dedans ? « Qu'ils se taisent », nous disent-ils tous les deux.

Qui a parlé du Québec refroidi de l'an 2000 ?

On y court, on s'y engouffre.

Au fil des référendums bidons, des chicanes de famille et des espoirs traînés dans la boue.

Qu'on nous débarrasse enfin de l'arrogance impudente de Trudeau et de la modestie, trop spectaculaire pour ne pas être suspecte, de Lévesque.

Au lieu de demander à tout le monde de démissionner, qu'ils aient le courage de commencer les premiers.

L'histoire d'amour est finie et c'est ce qu'ils refusent de comprendre.

« Je vous ai menés au bord du gouffre », nous dit Trudeau. « Faisons encore un pas », nous dit Lévesque.

« L'élection du 13 avril n'a pas eu lieu », nous dit Trudeau. « Le huitième congrès du Parti québécois n'a pas eu lieu », nous dit Lévesque.

Et moi, je réponds : « Le peuple québécois n'existe pas. Parce que, s'il existait, il se lèverait d'un seul bond pour vous foutre à la porte tous les deux. »

Vingt ans de travail pour en arriver là !

Il faudrait un sursaut inimaginable pour nous sortir du pétrin où ces deux hommes nous ont fourrés. Où nous nous sommes fourrés nous-mêmes avec eux.

Pour ce qui est de ce qui nous occupe aujourd'hui, une seule chose est certaine : il n'y aura pas de gagnants.

Que Lévesque gagne ou perde son référendum, cela n'a pas d'importance. Il restera à jamais marqué. Son chantage l'aura détruit.

Et le Parti ? Que peut-il gagner ? Quoi qu'il arrive, il restera marqué par les dénonciations, voire par les purges de son chef. Il aura perdu tant de crédibilité aux yeux de la population qu'il aura toutes les peines du monde à rester sur pied.

À moins que... à moins qu'il se passe quelque chose qu'on n'ose plus espérer.

À moins que le Parti québécois, dans un sursaut presque désespéré, se refuse à mourir assassiné par son idole.

C'est la dernière chance.

1. René Lévesque doit démissionner de la présidence du Parti.

2. Les membres du Parti québécois doivent boycotter par tous les moyens le référendum bidon de Lévesque.

3. Les délégués du huitième congrès doivent refuser farouchement d'être remplacés.

4. Les membres du Parti doivent affirmer solennellement leur attachement à la cause de l'indépendance du Québec.

On n'en sort pas. La vraie question est là : c'est Lévesque ou l'indépendance. Et c'est Lévesque ou le Parti.

Le salut est dans le sursaut du Parti.

Si le Parti en est incapable, ce sera la fin, et pour longtemps.

Le bateau coulera. Quelques-uns réussiront à échapper au naufrage parce qu'on les aura jetés par-dessus bord. Quand on est sur un bateau, on n'en voit pas le nom.

46 MOI, JE M'EN SOUVIENS

Les naufragés, dans leurs chaloupes, verront enfin le nom du bateau qu'on leur a fait quitter de force : *Titanic*.

Quoi faire de plus ? Je n'en sais rien. Puisqu'on n'écoute que Trudeau et Lévesque en ce pays, c'est à eux qu'il faut le demander. Moi, je n'ai plus rien à dire. »

Le Devoir,
18 décembre 1981

Le congrès-référendum eut lieu, évidemment, et la troupe jura à M. Lévesque qu'elle l'aimait plus que jamais.

Mais c'était une illusion. Le Parti québécois se vidait ; ses membres sortaient à pleines portes.

La purge avait commencé 10 ans plus tôt. Un par un, les membres qui n'étaient pas d'accord avec le chef avaient dû quitter. D'un côté, il était si fort qu'il était inatteignable ; de l'autre, la troupe était si servile qu'il était impensable de l'influencer de quelque manière. Il fallait quitter.

Un par un, puis 10 par 10, puis de plus en plus rapidement, c'était maintenant par milliers qu'ils quittaient le Parti.

Il n'en resterait peut-être qu'un seul et ce serait LUI.

Début de la déliquescence.

L'ombre de Robert Bourassa planait sur cette scène de carnage. Eh oui ! il revenait, celui-là qu'on avait cru enterré pour toujours.

Mais on n'avait encore rien vu. Des militants et des militantes sincères, que rien jusqu'alors n'avait pu ébranler, qui restaient, contre toute raison, fidèles à leur chef, qui se marchaient littéralement sur le cœur pour résister à la tentation de tout envoyer promener, commençaient secrètement à penser qu'ils ne pourraient bientôt plus continuer dans cette voie.

Ils croyaient à la solidarité. Ils croyaient qu'il ne faut pas quitter le navire quand les choses vont mal. Ils croyaient qu'il était de leur devoir de durer.

Mais les appels à la solidarité venaient toujours d'en haut et ne sollicitaient, au fond, que les servilités les plus abjectes.

On y pensait de plus en plus, et en des lieux de plus en plus hauts. On se taisait encore, mais jusqu'à quand ?

Au Conseil des ministres, les choses se gâtaient. Il appartiendra aux gens intéressés de nous faire, un jour, les révélations utiles en ce sens.

Pour ma part, bien qu'ayant été informé de la tournure des choses, je n'en raconterai rien puisque je n'en fus pas témoin. Je continue donc de regarder tout cela de l'extérieur et de ne commenter que ce qui fut public.

Lévesque devenait de plus en plus irascible, de plus en plus brouillon. Les journalistes, pourtant sympathiques à l'homme, ne pouvaient faire autrement que de le souligner. Même à l'Assemblée nationale, il avait du mal à présenter une image convenable. Les rumeurs allaient bon train.

Jusqu'à quand ?

Jusqu'à ce jour où...

4

Il me semble qu'il y a 20 ans de cela tant la mémoire se refuse à se rappeler des événements aussi douloureux. Et pourtant, c'était hier.

La rage d'un homme déterminé à détruire complètement l'instrument qui l'avait porté au pouvoir mais n'était plus que le reflet de ses défaites personnelles !

Qu'est-ce qu'on fait quand on a tout perdu ?

On se suicide ou on devient fou. René Lévesque ne s'est pas suicidé.

J'ose le dire : je crois très sincèrement qu'il a momentanément perdu la tête. Comment expliquer autrement cet acharnement viscéral à détruire son parti, à le vider de toute substance, à ne laisser derrière lui que des ruines ?

Je pense qu'il est moins méchant de croire qu'il a momentanément perdu la tête.

Quoi qu'il en soit, la suite des événements fut à proprement parler tragique.

Lévesque, cette fois, était allé trop loin. Même les plus fidèles, les plus loyaux, voire les plus masochistes de ses alliés, n'en pouvaient plus.

Plusieurs députés démissionnèrent et devinrent indépendants.

Sept ministres démissionnèrent, et non des moindres : Jacques Parizeau, Jacques Léonard, Camille Laurin, Denis Lazure, Denise Leblanc-Bantey, Louise Harel et Gilbert Paquette.

Un véritable tremblement de terre secouait non seulement le Parti québécois mais tout le Québec. Tout L'IMAGINAIRE du Québec. Tous les rêves du Québec. Tous les espoirs du Québec. Un tremblement de terre provoqué de main d'homme, dans la rage d'en finir, dans l'illusion de la soumission éternelle de ses fidèles.

Il fallait que les choses soient drôlement pourries pour en arriver là.

On a dit que Lévesque n'avait pas prévu l'ampleur du désastre, qu'il a cru jusqu'à la dernière minute au ralliement de la troupe, qu'il ne voulait que ramener le train dans la bonne direction.

Que n'a-t-on pas dit ?

La vérité, c'est que ce jour-là, René Lévesque a tué son parti. On parlait de son départ ? Soit. Mais il ne partirait pas sans avoir tout détruit sur son passage. Politique de la terre brûlée.

A-t-il fait cela consciemment ? J'aime mieux penser que non.

La vérité nous oblige tout de même à dire que c'est exactement ce qu'il a fait.

Le plus bel instrument politique jamais créé au Québec (et René Lévesque était grandement responsable de cette éminente réussite) se retrouvait gisant par terre, exsangue, déchiré, moribond, tragiquement atteint dans son âme et dans ses organes les plus vitaux.

Oui, quelle tragédie !

Tout cela était-il inévitable ? Oui, cela l'était et ne le fut pas.

Tout ce qui fut était évitable et ne le fut pas.

Une seule chose était désormais inévitable : il fallait qu'il parte. On le pressait de toute part et plus on le pressait plus il résistait. Il se croyait encore utile, mais utile à quoi ?

De moins en moins nombreux étaient ceux qui voulaient le convaincre de rester.

Cependant, il semble bien que certains aient un peu beaucoup poussé à la roue. Encore là, il ne m'appartient pas de révéler ce que je ne connais que par ouï-dire.

Toujours est-il qu'il est enfin parti.

Trop tard, diront certains.

Beaucoup trop tard, dis-je effrontément.

Épiloguer sur le sujet ? À quoi bon ?

On peut quand même rappeler qu'il a laissé à son successeur, Pierre Marc Johnson, un parti complètement défait, divisé contre lui-même, enfoncé dans l'équivoque et vidé de ses forces les plus vives.

On peut rappeler qu'il ne lui a laissé que l'ombre de ce que le Parti québécois avait été et que c'est lui-même qui l'avait vidé, année après année, de ces dizaines de milliers de personnes qui n'auront eu que le défaut de trop croire en lui.

On peut aussi rappeler que, contrairement à ce qu'on a dit, ce n'est pas Pierre Marc Johnson qui a transformé le Parti québécois en parti plus ou moins fédéraliste. René Lévesque lui-même a fait la *job,* la sale *job,* bien avant lui.

MOI, JE M'EN SOUVIENS.

5

F*lashback.* Retour en arrière.

1968 : l'euphorie du premier congrès. Malgré les réticences marquées de René Lévesque et sur proposition de Gilles Grégoire, le Mouvement Souveraineté-Association (MSA) devient le Parti québécois.

Tous sont d'accord : quel beau nom pour un parti indépendantiste !

Ce parti suscite tous les espoirs. N'a-t-il pas à sa tête l'homme politique le plus populaire du Québec ? N'a-t-il pas su rallier bon nombre d'ex-militants du Parti libéral qui apportent avec eux l'expérience de la politique vécue sur le terrain ? N'a-t-il pas réussi à avaler le Ralliement national de Gilles Grégoire ? N'a-t-il pas recruté des milliers et des milliers de membres depuis quelques mois, dont plusieurs transfuges du Rassemblement pour l'indépendance nationale (RIN) qui ne demandent pas mieux que de monter au front le plus tôt possible ?

Ne s'est-il pas donné des structures démocratiques, et un programme, et des statuts, et n'a-t-il pas recruté quelques jeunes professionnels qui lui donnent l'image moderne d'un parti dans le vent ?

Il y a bien encore ce malheureux RIN qui s'acharne à vouloir survivre, mais on n'en a cure en ces journées de grandes réjouissances.

Qui se souvient que René Lévesque a délibérément fait avorter les négociations avec le RIN, quelques mois plus tôt, et qu'il se réjouit publiquement de ne pas être associé à ces séparatistes sans envergure ?

Qui se souvient qu'il a publiquement dénoncé le général de Gaulle deux mois auparavant, ce général dont le « Vive le Québec libre » avait galvanisé toutes les forces vives de la nation et qui n'allait pas être étranger à l'euphorie de ceux-là mêmes qui fondaient avec lui le Parti québécois ?

Qui se souvient qu'on a déjà parlé de l'indépendance du Québec et que ce mot est depuis devenu tabou pour être remplacé par la formule hybride de la souveraineté-association, qui veut tout et rien dire, à qui on fera tout et rien dire, porteuse de tous les malentendus et des plus stériles querelles ?

Non, on ne se souvient de rien en ce beau jour. Et pourquoi se souviendrait-on ? C'est un beau jour, en effet, et on aurait tort de chicaner René Lévesque d'avoir su rallier en si peu de temps tant de monde autour d'un objectif qui n'est vague que dans la tête de son fondateur.

Lévesque est d'attaque, comme on dit. Non seulement il se retrouve à la tête de troupes fraîches et enthousiastes à une époque (fin des années soixante) où tout semble possible, mais il a quelque vengeance à exercer contre ces libéraux arrogants qui l'ont évincé si cavalièrement.

Le Parti québécois, derrière son chef, est d'attaque. Il représente toute la jeunesse et tout le dynamisme québécois. Il est la réponse inattendue à une révolution tranquille qui s'essoufflait et qui se prolongeait mollement sous la tranquille administration de la vieille Union nationale.

Oui, en effet, en ce beau jour, tous les espoirs sont permis.

Tous les indépendantistes ne sont pas là ? Qu'à cela ne tienne. Quelques jours plus tard, le RIN se sabordera et on incitera ses militants et militantes à joindre les rangs du Parti québécois individuellement, cela dans le but avoué de faire enfin l'unité de tous les indépendantistes qui jusque-là s'étaient déchirés sur la place publique.

Oh ! il y a bien quelques résistances. Quelqu'un ne déclare-t-il pas qu'on ne peut pas faire confiance à Lévesque, qu'il n'est pas indépendantiste, qu'il se sert de la cause pour servir ses fins propres ?

Balayé, l'argument. Faisons confiance, on verra. Et puis, il faudra bien qu'il tienne compte de nous, et le Parti lui-même le forcera à marcher dans le bon sens.

C'est l'unité à tout prix.

Et ce pauvre RIN perd nombre de ses membres au profit du Parti québécois. Il n'y a pas d'autre solution.

Le RIN est mort. Vive le RIN. Je ne savais pas alors que je commettais la plus grave erreur politique de ma vie.

Automne 1968 : il n'y a plus qu'un seul parti indépendantiste, pardon, souverainiste, et c'est le Parti québécois. La joie éclate partout. Mais Lévesque est furieux. Il s'est fait jouer un tour. Il ne voulait pas de ce maudit RIN et ne voilà-t-il pas que celui-ci entre par la porte d'en arrière.

Tant pis, il devra s'habituer.

Où en sommes-nous ?

1957 : Raymond Barbeau fonde l'Alliance laurentienne (AL).

1959 : Raoul Roy fonde l'Action socialiste pour l'indépendance du Québec (ASIQ).

1960 : Marcel Chaput et André d'Allemagne, accompagnés d'une trentaine d'autres personnes, fondent le Rassemblement pour l'indépendance nationale (RIN).

1963 : Marcel Chaput quitte le RIN pour fonder le Parti républicain, qui ne vivra pas un an.

1964 : le RIN devient parti politique.

1964 : le Dr René Jutras fonde le Ralliement national et Gilles Grégoire en devient bientôt le chef.

1966 : élections. Le Ralliement national présente 95 candidats, le RIN 74. Ensemble, ils récoltent un peu plus de 9 % du vote. L'Union nationale est portée au pouvoir.

1968 : MSA, RN et RIN forment le nouveau Parti québécois (PQ).

Il y aura donc trois partis en lice lors des prochaines élections provinciales : le Parti libéral (Robert Bourassa vient d'en prendre la tête), l'Union nationale (bientôt dirigée par Jean-Jacques Bertrand), et le Parti québécois (sous la gouverne de René Lévesque).

Les jeux sont faits, rien ne va plus. C'est la guerre.

L'année a été chaude : événements de Mai en France ; occupation des cégeps au Québec et manifestations populaires de toutes sortes ; aux États-Unis, guerre contre la guerre du Viêt-nam et manifestations des Noirs.

Trudeau prend le pouvoir à Ottawa.

Les Beatles se séparent mais la révolution n'en continue pas moins.

On y croit. Tout est permis, tout est possible.

Puisque plus de 45 pays ont réussi à faire leur indépendance depuis la Seconde Guerre mondiale, pourquoi pas nous ? En effet, pourquoi pas nous ?

Mais la souveraineté-association, est-ce que ça veut dire la même chose que l'indépendance ? Est-ce que l'indépendance ne permet pas toutes les associations ? Pourquoi a-t-on si peur du mot *indépendance* ?

Bah ! question de stratégie, nous dit-on. La souveraineté-association, ça fait moins peur que l'indépendance. Ah oui ? Bon, peut-être.

Peut-être.

Et vive la stratégie !

6

La stratégie. Les stratégies. Rien, dans toute l'histoire du Parti québécois, n'a plus désorienté et décontenancé celui-ci que toutes ces fameuses stratégies inventées par les sages et entérinées par le grand chef lui-même.

Au mieux, elles étaient mal pensées et elles ont empêché le PQ de marquer des points. Au pire, et c'est arrivé souvent, elles n'étaient que le prétexte inavoué et inavouable de toutes les lâchetés.

C'est au nom de la stratégie que le PQ a pris des virages à 180°. C'est encore au nom de la stratégie qu'on a inventé le Référendum. C'est toujours au nom de la stratégie qu'on a évité de parler d'indépendance et c'est cette même maudite stratégie qui a souvent forcé les militants et les militantes à se taire alors qu'il aurait fallu qu'ils crient leur désaccord.

Mais nous n'en sommes pas encore là.

Le Parti québécois est tout neuf. On ne s'enfarge pas encore dans les fleurs du tapis. La bataille s'en vient et on compte bien la gagner.

D'abord, mettre sur pied une organisation électorale solide, consolider le programme, se présenter au public et affronter les adversaires.

Le parti le plus moderne et le plus démocratique d'Amérique du Nord entre en campagne.

Depuis le « Vive le Québec libre » du général de Gaulle, le monde entier s'intéresse au Québec. Les indépendantistes, pardon, les souverainistes ne font plus rire et les rodomontades de Pierre Trudeau, désormais Premier ministre du Canada, donnent du poids aux revendications des Québécois.

Même le Canada anglais, d'habitude entièrement tourné vers Washington, s'étonne de cette poussée inattendue.

Au PQ, ce sont les ex-libéraux qui mènent. Ça se chicane ferme mais il n'y paraît pas trop en public. Stratégie oblige, on serre les rangs derrière le grand chef et on redouble d'enthousiasme.

C'est que la bataille approche et il faut être prêts.

1970 : élections.

Ce fut une bien belle campagne électorale. Malgré la prudence excessive de Lévesque, on parle d'indépendance dans les rangs et sur toutes les scènes publiques. Oui, le PQ est vraiment un parti indépendantiste et bien peu de militants et de militantes cachent leur allégeance. D'ailleurs, à ceux ou à celles qui voudraient s'en défendre, les adversaires sont là pour leur rappeler — et rappeler à la population québécoise à qui on tient à faire très peur — qu'il s'agit bien là d'un véritable parti séparatiste dont le but est de détruire notre beau grand Canada.

Tant mieux. On roule sur les chapeaux de roues.

Au PQ, on ne s'attend pas à prendre le pouvoir, bien sûr, mais on s'attend quand même à quelques bons résultats. L'Union nationale, avec Jean-Jacques Bertrand, semble essoufflée. Pas de véritable danger de ce côté.

Le Parti libéral a de nouveau le vent dans les voiles. Un nouveau chef, Robert Bourassa, dont on ne sait trop quoi penser, mais toute la force de l'argent, de la tradition, de l'implantation dans toutes les parties du Québec, plus le vote massif des Anglais et des immigrants. Ce n'est pas peu : il part avec, dans sa poche, 20 % des votes.

L'effort est gigantesque. Les assemblées se multiplient dans un délire de chansons, de discours, d'ovations, de pancartes, de slogans, de joie pure et d'enthousiasme.

Les salles sont grises de la fumée de la marijuana qui embaume, qui provoque les rires et qui fait enrager Lévesque. Dirigerait-il un parti de drogués ? Bon, on verra bien après l'élection.

(Note personnelle : En 1970, je me présenterai pour la première et dernière fois pour le Parti québécois, dans le comté de Mercier, contre Robert Bourassa. Lévesque m'ayant interdit tous les « bons comtés », c'est le seul recours qui me restait. Pour le plaisir, pour le défi, pour la provocation. Il me fallait démontrer à René Lévesque — qui m'avait dit que je n'étais pas rentable électoralement — que je l'étais tout autant que lui. Pari gagné. Je vins si près de la victoire que, trois jours avant l'élection, le *Montréal-Matin* titrait en première page : « Bourassa battu, Bourgault élu, Lévesque en danger ! » Je fus battu, bien sûr, mais j'en connais qui ont eu chaud. J'y pense encore en souriant.)

Passons rapidement.

C'est jour d'élection. Puis ce sont les résultats.

Le Parti libéral reprend le pouvoir avec une majorité sans précédent. Le Parti québécois fait élire sept députés, mais toutes ses vedettes, y compris René Lévesque, sont battues.

Ce n'est pas tout à fait ce qu'on attendait. On aurait cru faire mieux. Mais consolons-nous en regardant les chiffres. Plus de 20 % du vote. Pas mal pour un parti qui n'a pas deux ans !

Et quelle progression !

1960 :	0 % du vote
1966 :	9 % du vote
1970 :	23,5 % du vote

Enfin ! des indépendantistes sont entrés à l'Assemblée nationale. Enfin ! nous existons pour de bon. Enfin ! ça vaut la peine de continuer. Ça prendra le temps que ça prendra, mais le mouvement est amorcé, la voie est ouverte. Il suffit de foncer.

Le Parti québécois existe pour de vrai, cette fois. Que le monde en prenne bien note.

Sa force sera confirmée quelques mois plus tard. Après les douloureux événements d'Octobre — pendant lesquels Trudeau et sa clique avaient tenté par tous les moyens d'associer le Parti québécois au FLQ —, s'annonce une élection partielle dans un comté de la Rive-Sud de Montréal. On prédit que le Parti québécois s'y fera laver.

Bien au contraire, il y verra le nombre de ses voix augmenter par rapport au vote de la dernière élection générale.

Belle épreuve. La machine a tenu bon. La population n'a pas été dupe des sournoises manœuvres d'Ottawa. On peut faire confiance. On se repose un peu et on repart.

Il y aura d'autres élections et ça se prépare. Alors, allons-y !

7

Malgré mes difficultés personnelles, et celles des ex-membres du RIN, au sein du Parti québécois, les tensions ne sont pas assez grandes pour porter au déchirement.

C'est que le Parti québécois, à cette époque, malgré quelques bavures, s'affiche comme un véritable parti indépendantiste et que l'équation souveraineté-association/indépendance semble toujours aller de soi.

De plus, il n'est pas encore question de référendum. Bien au contraire, René Lévesque et Jacques Parizeau notamment, dans des documents officiels et publics du PQ, affirment noir sur blanc qu'un vote pour le PQ est un vote pour l'indépendance et que le jour où le Parti québécois sera porté au pouvoir, il engagera immédiatement le processus devant mener à l'indépendance.

Les stratèges et les peureux (ce sont parfois les mêmes) n'ont pas encore commencé à s'agiter et tout le monde s'entend, semble-t-il, sur la stratégie la plus simple et la plus efficace : parler d'indépendance jusqu'à en convaincre une majorité, puis prendre le pouvoir et la faire.

Même René Lévesque utilise, à l'occasion, le mot, non sans le faire suivre de l'une de ses grimaces caractéristiques.

On dirait que tout va pour le mieux dans le meilleur des mondes.

Les événements d'Octobre 1970 sont presque oubliés et ils ne semblent avoir ni ralenti ni dénaturé l'action du Parti québécois.

Robert Bourassa est au pouvoir. Issu lui-même de la Révolution tranquille, il la poursuit sans timidité et consolide les acquis dans tous les domaines.

La francophonie n'a pas encore pris le sens qu'elle a aujourd'hui, mais les échanges internationaux, notamment avec la France, progressent malgré les freinages plus ou moins brusques d'Ottawa.

Trudeau est au comble de sa popularité, qui s'accroît ou décroît selon les succès ou les échecs des forces indépendantistes. Étrange destin : cet homme n'existe que par la force de ses adversaires et on peut facilement croire que si le mouvement indépendantiste n'avait pas existé, il n'eut jamais été Premier ministre du Canada. Au fond, ce vaniteux, plus à l'aise dans son dictionnaire de citations lancées ici ou là à tort et à travers que dans ses réflexions sur un monde dont il a fait le tour en se regardant le nombril, nous doit une fière chandelle. Sans nous, il était cuit.

Le mouvement étudiant bat de l'aile puis meurt de sa belle mort.

Ce sont les syndicats qui occupent désormais le devant de la scène et on ne tardera pas à les voir affronter violemment le gouvernement et le patronat.

Mais c'est dans une ambiance de relative tranquillité qu'on vit le temps qui court entre l'élection de 1970 et celle de 1973.

Le Parti québécois, depuis lors, n'a fait que se renforcer. Il compte plus de 200 000 membres et, financé par les souscriptions populaires, il affiche un bilan de santé remarquable.

Non seulement l'enthousiasme du début n'a pas baissé, mais il a grandi jusqu'au délire. Le « tout est possible » est encore à l'ordre du jour et rien ne semble pouvoir briser les rêves insensés qui habitent nos imaginations.

Et puis, il y a ces sept députés du PQ qui siègent à l'Assemblée nationale et qui mènent l'opposition à un train d'enfer. Ils sont partout à la fois et de tous les débats. Forts de la cohérence d'un programme politique vivant et neuf, ils attaquent sur tous les fronts et marquent des points tous les jours.

Une ombre au tableau cependant : René Lévesque est à la fois président du Parti québécois et chef de la formation. Il a toujours tenu à assumer les deux fonctions, malgré les tiraillements inévitables qui ne manquent pas de surgir entre l'aile parlementaire et le Parti. De plus, comme il n'est pas présent à l'Assemblée nationale, la communication entre le chef et la députation n'est pas toujours des plus faciles.

Mais la discipline finit presque toujours par l'emporter. Sinon, le chef lance un diktat public par-dessus la tête de ses députés, rallie l'opinion publique, et retrouve toute son autorité.

Je siège alors au Comité exécutif du Parti québécois, où je constate deux choses frappantes.

D'abord, il s'agit d'une société d'admiration mutuelle dont je suis la première victime. Les discussions y sont d'un tel niveau et l'intelligence y est d'un si haut calibre qu'on se laisse facilement prendre à la beauté des discours et à l'élégance des échanges.

Nous en perdons un peu beaucoup de notre efficacité.

Et puis, il y a René Lévesque. Brillant, disert, maussade ou réjoui, soufflant comme à son habitude le chaud et le froid, bonhomme et faussement modeste, autoritaire et péremptoire... quand il est là.

Parce qu'il est à peu près toujours en retard de deux heures ou de deux jours.

Il faut constamment lui résumer nos délibérations et lui faire part de nos décisions, majoritaires ou unanimes. Pierre Marois, qui préside alors les réunions du Comité, n'y peut rien. Il sermonne un peu le chef du bout des lèvres, mais il sait trop bien qu'il n'en obtiendra rien.

Si René Lévesque est d'accord avec nos décisions, tant mieux. Il les entérine et s'en fait le promoteur. S'il n'est pas d'accord, tant pis. Il n'en fait qu'à sa tête et... *fuck* la direction collégiale !

À cette époque, ce n'est qu'agaçant parce que tout le monde s'entend à peu près sur les principes et sur l'action.

Mais tous les problèmes sont là, en puissance, et c'est probablement à ce moment que le Parti aurait dû mettre le chef au pas avant que ce dernier ne l'asservisse.

À tous, l'homme semble absolument indispensable, et je crois personnellement qu'à l'époque il l'était sans aucun doute.

Alors...

1973 : Robert Bourassa n'est au pouvoir que depuis trois ans. Il n'en décide pas moins de tenir une élection.

Attention, ça va donner un grand coup ! Inutile de rappeler dans le détail le déroulement de cette campagne électorale. Elle ressemble à toutes les autres mais, cette fois, le Parti québécois est devenu une véritable organisation profession-nelle qu'on ne peut vraiment plus prendre à la légère.

L'Union nationale est moribonde. Ce sera donc une bataille à deux : Parti libéral contre Parti québécois.

René Lévesque est en pleine forme. Or, quand il est en forme et qu'il croit à ce qu'il fait, il est d'une efficacité redoutable. Le charisme joue à fond, les formules à l'emporte-pièce fusent de toutes parts, le sarcasme fait mouche à tout coup et on se prend même à croire à cette modestie légendaire qui a toutes les apparences de la vérité.

Tout le Parti se bat jusqu'à perdre le souffle et s'enthousiasme jusqu'à perdre la raison.

Robert Bourassa est naturellement moins romantique et moins spectaculaire. Il n'en reste pas moins redoutable.

Si redoutable, en effet, qu'il battra le Parti québécois à plate couture. Le PQ avait fait élire sept députés en 1970 ; il n'en fait élire que six en 1973.

La carte électorale, cette maudite carte élec-torale, a encore joué un vilain tour aux partis d'opposition : 30,8 % du vote et six députés seulement, c'est scandaleux évidemment, mais nul n'y peut rien. On a accepté de jouer le jeu, il faut le jouer jusqu'au bout. « Si on peut prendre le pouvoir, on va la changer cette maudite carte électorale », entend-on de toutes parts, sans réfléchir aux avantages qu'elle pourrait avoir dans d'autres circonstances.

Quel dépit chez les militants et les militantes du Parti québécois ! Quel découragement ! On n'y arrivera donc jamais ? Malgré tous les efforts, malgré les sacrifices, malgré les chansons, malgré l'organisation, malgré l'argent, malgré l'espoir, malgré cette merveilleuse unité si douloureuse à créer et si difficile à maintenir...

Oui, ce n'est qu'une victoire morale. Mais c'est quand même une vraie victoire morale cette fois : 0 %, 9 %, 23,5 %, 31 %.

Trente et un pour cent des voix, c'est énorme. Le tiers de l'électorat québécois s'est prononcé en faveur de la souveraineté du Québec. Battu, mais combien vivant, le Parti québécois ! Reportée, mais combien dynamique, l'idée de l'indépendance du Québec !

Hélas ! René Lévesque n'a toujours pas réussi à se faire élire. C'est peut-être cela qui déprime le plus.

Le Québec tout entier s'accorde à dire qu'il est l'homme politique le plus populaire de l'heure et pourtant, les électeurs lui résistent encore.

Il faudra bien s'y faire. Il faut recommencer.

On ne peut pas s'arrêter en si bon chemin.

Eh bien ! oui, on peut s'arrêter en si bon chemin.

Nous allons voir comment.

8

Dans les partis politiques, les « tournants déci-sifs » sont encore plus nombreux que les inci-dents de parcours. J'ai souvent souri devant certains de ces tournants décisifs qui n'annon-çaient rien d'autre que des déménagements de bureau ou le déplacement d'une virgule dans un article du programme.

Mais il en est de vrais, il y a ceux qui changent profondément les choses et qui les transforment parfois au point qu'on ne peut plus les recon-naître.

Au Parti québécois, 1973 et surtout 1974 apportèrent l'un de ces tournants décisifs. Selon moi, il allait changer totalement le cours des choses.

C'est en effet en 1974 que la peur de l'in-dépendance allait donner lieu à la mise au point d'une stratégie suicidaire propre à entraîner les pires conséquences.

C'est Claude Morin qui, au congrès de 1973, proposa pour la première fois de recourir au référendum plutôt qu'à l'élection pour déterminer le statut politique du Québec.

En 1973, la proposition de Claude Morin fut battue. En 1974, elle fut adoptée et devint la politique du Parti québécois.

Claude Morin s'appuyait sur une fausse prémisse, mais les défaites successives de 1970 et de 1973 semblaient lui donner raison.

Son raisonnement avait toute l'apparence de la vérité, mais il était faux parce qu'il ne prenait en compte qu'une partie de la réalité.

Le PQ plafonnait, affirmait-il. En conséquence, il fallait changer de stratégie.

Pour ma part, je me tuais à répéter qu'un mouvement qui était passé de 0 % à 31 % des voix en moins de 13 ans et au cours de trois élections, non seulement ne plafonnait pas mais révélait au contraire un dynamisme exemplaire.

Cela ne veut rien dire, rétorquait-on, puisque le Parti ne réussit pas à augmenter sa députation, encore moins à prendre le pouvoir.

On accusait d'impatience ceux et celles qui se prononçaient contre la tenue d'un référendum. Au fond, il s'agissait du contraire. C'est justement parce qu'ils étaient pressés de prendre le pouvoir que les pro-référendum avaient inventé cette « stratégie ».

Nous, pour notre part, nous étions prêts à retarder la prise du pouvoir, affirmant, comme l'exigeait encore le programme du Parti, que la prise du pouvoir par le PQ signifiait la volonté exprimée par la population du Québec d'engager le processus vers l'indépendance.

Mais le référendum est plus démocratique, ajoutait-on aussitôt, sans autrement s'inquiéter du fait que c'est René Lévesque lui-même qui avait toujours affirmé que notre action, jusqu'alors, avait toujours été éminemment démocratique.

Tournant décisif en effet que ce référendum puisqu'il allait permettre à nos adversaires, s'ils n'avaient pu nous battre une première fois, de le faire dans un deuxième temps.

Mais non ! nous répondait-on, vous vous trompez ! Une fois au pouvoir, nous pourrons nous servir de tout l'appareil d'État pour répandre nos idées et pour en faire la promotion. Nous serons d'autant plus forts, et nous aurons enfin les moyens de nos idées.

Il faut avouer que ces arguments étaient fort séduisants pour des militants et des militantes qui, malgré leur pureté et leur générosité, n'en aspiraient pas moins à voir leur parti au pouvoir au plus sacrant.

Ils oubliaient facilement qu'il n'est pas d'exemple qu'un parti se soit radicalisé une fois au pouvoir, que cela nous enlevait l'avantage de l'effet de surprise et que nos adversaires allaient sans aucun doute en profiter. Ils oubliaient que l'exercice du pouvoir est si accaparant qu'il reste bien peu de temps à quiconque pour faire la promotion des idées et des programmes. Mais surtout, ils oubliaient qu'on allait mettre l'idée d'indépendance en veilleuse, qu'on cesserait presque tout à fait d'en parler en espérant naïvement qu'elle se répandrait toute seule, et qu'en acceptant la responsabilité de former un gouvernement provincial, si bon soit-il, on contredisait toutes les thèses défendues jusqu'alors qui voulaient que seul un gouvernement national fût à même de résoudre nos problèmes et d'assurer notre épanouissement.

Il y avait aussi un autre piège, souligné à l'époque mais vite glissé sous le tapis.

Le Parti québécois est au pouvoir mais n'engage pas le processus vers l'indépendance, reporté au référendum éventuel.

Que se passe-t-il alors ?

Ou bien le PQ gouverne à la satisfaction des citoyens et ceux-ci, comblés, ne voient nullement la nécessité qu'il y a à faire l'indépendance pour aller plus loin ou pour faire mieux, et ils votent NON au Référendum.

Ou bien le PQ laisse l'électorat insatisfait et alors les citoyens, ne voyant vraiment pas pourquoi il faudrait faire l'indépendance avec un pareil parti, votent NON au Référendum.

Le piège étant si visible, il ne restait plus qu'à y mettre le pied.

C'est ce que fit le congrès de 1974. Claude Morin avait proposé, René Lévesque avait pesé de tout son poids dans cette direction, et le congrès avait entériné.

C'en était fait. Désormais, il fallait mettre l'indépendance en veilleuse ; il fallait montrer la beauté du programme du PQ et en faire la promotion ; il fallait reporter le vrai choix à une date ultérieure ; il fallait prendre le pouvoir en montrant que nous pouvions faire mieux que les autres avec un gouvernement provincial ; il fallait renoncer à la proie pour l'ombre ; et nous n'allions pas tarder à convaincre ce bon peuple qu'il fallait prendre des vessies pour des lanternes.

J'étais furieux. D'autres l'étaient également.

Raymond Barbeau, Marcel Chaput et moi-même signâmes une déclaration conjointe pour dénoncer cette « stratégie » en en montrant l'inanité et les conséquences qui s'annonçaient néfastes.

René Lévesque nous envoya promener en nous traitant de « relents de la Ligue du vieux poêle » qui n'étaient d'ailleurs même pas membres du PQ.

Or, si Raymond Barbeau n'avait jamais été membre du PQ, Marcel Chaput l'était en bonne et due forme. Quant à moi, je n'étais pas à la maison quand on était passé pour renouveler mon adhésion. J'allais le faire incessamment, comme je l'avais toujours fait.

Mais je ne le fis pas. Je n'allais plus jamais être membre d'un parti dont le chef nous méprisait tant, d'un parti surtout avec lequel j'étais de moins en moins d'accord.

L'indépendance ? On venait de me dire qu'il faudrait repasser.

Pour l'instant, il n'y a plus qu'une chose qui compte : le pouvoir à tout prix.

Tout le monde veut beaucoup de pouvoir et de liberté, mais la plupart des gens se contentent de petits pouvoirs et de demi-libertés. C'est moins forçant, ça dérange moins, et surtout c'est plus facile à gagner.

Ça permet de faire des discours, certes excitants, mais qui n'engagent pas outre mesure et qui annoncent tous les paradis au coût le plus bas.

C'est justement de cela qu'il sera question pendant les années et les mois qui vont précéder l'élection de 1976.

« La liberté rendue facile et à la portée de tous » : c'est ainsi qu'on aurait pu intituler la plupart des discours de René Lévesque à cette époque.

Il faut surtout ne pas faire peur aux gens.

Dès lors, on va s'efforcer systématiquement de désamorcer la bombe, de ne pas faire de vagues : « Voyez comme nous sommes doux et charmants. Nous ne voulons que votre bien. »

9

De 1974 à 1976, on ne parla presque plus d'indépendance. Il y avait bien la souveraineté-association, qu'on défendait du bout des lèvres, mais c'est surtout de pouvoir et de « bon gouvernement » qu'on abreuvait les foules.

Le Parti québécois restait encore majoritairement souverainiste, mais la nouvelle orientation stratégique, qui vidait l'action de son contenu essentiel, avait tout pour plaire à certains nationalistes nostalgiques de la Révolution tranquille qui, s'ils croyaient que la menace d'indépendance pouvait augmenter le pouvoir de négociation du gouvernement québécois, ne voyaient vraiment pas la nécessité d'en arriver là.

À vrai dire, ils n'étaient pas indépendantistes. C'est par milliers qu'ils joignirent les rangs du PQ. Ils suivaient un homme, pas une idée. Plus tard, ils suivront l'homme jusque dans la déchéance de l'idée.

Tout doucement, presque imperceptiblement pendant les années qui vont suivre, ils remplaceront les militants purs et durs qui, écœurés, rentreront, 1 par 1, puis 10 par 10, puis 100 par 100, à la maison.

Ils se plieront d'autant plus facilement à toutes les nouvelles stratégies, souvent contradictoires, qu'ils n'ont aucun objectif précis à atteindre. Ils se laissent porter par les vagues successives en espérant qu'elles les mèneront quelque part, sans trop savoir où.

Ces nouveaux militants vont grossir les rangs de tous les tièdes du Parti qui, au fond, sont sincèrement souverainistes mais qui, en même temps, redoutent d'avoir à assumer les responsabilités de l'indépendance.

C'est à eux que René Lévesque s'adresse quand il décrit ses paradis terrestres. Alors que tout le monde sait, ou sent confusément, que l'indépendance n'est ni facile à faire ni facile à consolider, René Lévesque répète à qui veut l'entendre que les Anglais ne feront pas obstacle au peuple québécois lorsqu'il aura répondu OUI, que les Américains nous laisseront faire « parce que, après tout, nous ne sommes pas Cuba » et que, tout compte fait, tout se fera dans la paix et la joie, de façon « civilisée ».

Comme il est plus facile de croire à ces inepties que de faire face à la réalité, on y croit d'autant plus aisément que cela évite d'identifier les vrais adversaires et de se donner les moyens de les contrer.

Les vrais adversaires, évidemment, sont Ottawa et Washington. Eux seuls ont la volonté et les moyens de contrer l'aspiration du Québec à l'indépendance. Dans la logique de la nouvelle stratégie, une logique toute provinciale, c'est Québec toutefois qui devient le seul adversaire et c'est Robert Bourassa qu'il faut abattre.

On ne parle à peu près jamais de Washington. On attaque rarement Pierre Trudeau. On se contente, la plupart du temps, de réagir à ses insultes trop criantes ou à son mépris trop marqué.

Le PQ, dans les années à venir — et même une fois au pouvoir —, se fera un devoir d'attaquer le moins possible Ottawa et concentrera tous ses efforts à tenter de battre le Parti libéral du Québec.

Là où il eut fallu appeler tous les Québécois et Québécoises à l'unité face aux vrais adversaires dûment identifiés, on verra se déchirer le peuple entre deux camps qui visent tous deux les miettes d'un pouvoir provincial certes important mais infime quand on le compare à un pouvoir national véritable.

Les Anglais du Canada ne s'y tromperont pas. Ils manifestent quelque inquiétude devant la « montée du séparatisme québécois », mais ils ont tôt fait de comprendre que les partis québécois ne les menacent pas et que les Canadiens français d'Ottawa sont là pour protéger leurs intérêts majoritaires.

Le tableau est éloquent. Pendant que Bourassa et Lévesque se disputent le pouvoir provincial, Trudeau les renvoie dos à dos, renforce le pouvoir fédéral et le met au service de la majorité anglaise du Canada en crachant sur cette pauvre tribu québécoise dont il a enfin réussi à s'évader.

Une bien belle bataille entre « Canadiens français ».

C'est plus qu'une erreur de stratégie, c'est une faute historique d'une gravité incontestable.

Il faut bien le dire : ou bien René Lévesque n'a jamais cru à l'indépendance du Québec, ou bien il s'est fourré royalement et nous a entraînés à sa suite à notre perte.

Quand je dis qu'on cessa de parler d'indépendance à partir de 1974, ce n'est pas tout à fait juste parce que plusieurs en parlèrent d'abondance, sur toutes les tribunes et en toutes circonstances. Mais c'était pour en ridiculiser les vertus et pour en souligner les difficultés.

En effet, pendant que les souverainistes parlaient de « bon gouvernement », les adversaires de l'indépendance s'en donnaient à cœur joie et dénonçaient les méfaits du « séparatisme ». Ils ne parlaient que de cela et il n'y avait personne en face pour leur répondre, de sorte que tout le peuple québécois sut rapidement tout ce qu'il fallait attendre de catastrophique advenant l'indépendance et que personne ne leur présenta les avantages de l'accession à la souveraineté.

Non seulement nous ne nous battions pas sur le bon terrain, mais le bon terrain était entièrement occupé par l'adversaire.

Stratégie ? Peut-être, mais on ne pouvait pas en imaginer de pire pour la cause de l'indépendance. Tout juste bonne pour qui voulait prendre le pouvoir rapidement.

Comme il n'y avait plus d'enjeu véritable, comme il n'y avait plus de « danger », le peuple québécois pouvait bien se payer le luxe d'essayer un nouveau parti, d'autant plus que celui-ci affichait un dynamisme peu commun, qu'il présentait un programme cohérent et qu'il était dirigé par des têtes d'affiche fort séduisantes.

Ce qui devait donc se produire ne manqua pas de se produire : le Parti québécois prit le pouvoir en 1976.

Pour ma part, j'ai tout raté de cette victoire. Ce soir-là, je pérorais dans un studio de CKAC en compagnie de Solange Chaput-Rolland et de Pierre Desmarais (qui, après avoir ajouté prétentieusement un « II » à son nom, prétend occuper les premières places).

J'ai raté la fête. Parce que ce fut bien une fête sans précédent à laquelle j'aurais voulu participer.

Malgré toutes mes objections, malgré l'analyse dramatique que je faisais de la situation, malgré mes appréhensions devant la prise du pouvoir trop rapide du Parti québécois et devant la mise en veilleuse de l'idée d'indépendance, malgré mon opposition à la stratégie du Référendum, j'aurais voulu célébrer ce soir-là avec tout le monde.

Pourquoi ? Pour me reposer un peu des efforts et des sacrifices des dernières années, pour sentir, ne fut-ce qu'un instant, la force de la solidarité, pour éprouver la joie de m'être « rendu jusque-là », même si le chemin à parcourir restait encore bien long. Pour être avec les autres. Pour célébrer. Pour rire, pour chanter, pour oublier, pendant une nuit, que si j'avais raison, cette victoire allait nous mener à la plus grande débâcle de l'histoire du Québec.

C'était surtout parce que j'avais terriblement envie de me tromper, parce que je voulais croire que c'était Lévesque qui avait raison, qu'il allait nous mener à l'indépendance.

Je retrouverai ce sentiment, plus tard, lors de la campagne référendaire. Je n'y croyais pas mais je voulais tellement y croire. Et si c'était Lévesque qui avait raison...

Je ne me serais jamais pardonné de n'avoir pas fait ma part sous prétexte que j'étais le seul à avoir raison.

Oui, j'ai raté la fête du 15 novembre 1976, cette futile victoire dont j'aurais pu partager l'illusion avec tout le monde, pendant une nuit, deux jours ou une semaine.

Tant pis.

Pierre Desmarais me raccompagna chez moi dans sa limousine. Je songeai, tristement mais sans amertume je crois, que mes adversaires me traitaient mieux que mes alliés.

10

L e pouvoir ! Le Parti québécois est au pouvoir !
« *Separatist Party Takes Over in Quebec !* »

Les séparatistes prennent le pouvoir à Québec.

Ah oui ? Quels séparatistes ?

On leur a tellement dit, aux Anglais du Canada, que les séparatistes étaient menaçants, qu'ils ont fini par le croire. Ils s'en prennent à Trudeau qui n'a pas su les contrer. Ils s'en prennent à Bourassa qui les a trahis avec la loi 22. Ils s'en prennent à Lévesque, bien sûr, ce fanatique qui annonce l'holocauste.

C'en est trop ! Vite, partons !

Ils ne sont menacés de rien du tout, mais ils seront 100 000 à partir. Il faudrait pleurer ? Non. Bon débarras !

Sont drôles, ces Anglais ! Ils refusent de se définir comme québécois, ils se disent d'abord canadiens et se vantent de faire partie de la majorité anglophone nord-américaine, puis, à la première petite difficulté, ils fichent le camp. Ceux qui restent sont un peu moins peureux (ou alors c'est le déplacement qui les angoisse), mais ils ne se définissent pas autrement que ceux qui partent. Pourtant, dès qu'on touche un tant soit peu à leurs privilèges, ils proclament qu'on les traite en Québécois de seconde classe et qu'on en veut à leur « visibilité ».

Quoi qu'il en soit, ils n'ont pas pu empêcher les méchants séparatistes de prendre le pouvoir à Québec.

En effet, l'article premier du programme du Parti québécois est toujours en vigueur. L'objectif reste toujours la souveraineté-association et il y aura bien, un jour, référendum sur la question.

Pour l'instant, le nouveau gouvernement du Parti québécois a d'autres chats à fouetter.

Ah ! qu'elle était belle, la cérémonie de présentation ! Quelle équipe compétente, et bien habillée, et moderne, et sérieuse ! Le « bon gouvernement » s'annonçait bien et même les adversaires ne pouvaient s'empêcher de gloser sur « le gouvernement le plus compétent du Canada, sur papier ».

On allait tout de suite se rendre compte qu'il n'était pas compétent que sur papier.

Le premier mandat du gouvernement du PQ fut remarquable. Démocratisation accélérée des institutions, zonage agricole, assurance-automobile, consultations, réformes dans tous les secteurs, valorisation de la condition féminine, renforcement de la respectabilité de l'État, meilleure distribution des richesses, loi 101, et quoi encore...

Des bavures, certes, mais pas très nombreuses et la plupart du temps sans conséquences graves.

Le Parti libéral, en face, n'en mène pas large. Robert Bourassa est parti et on a l'impression que la puissante machine commence à avoir des ratés.

La performance du nouveau « gouvernement provincial » est exceptionnelle et, s'il ne s'agissait que de cela, on ne pourrait rien trouver à y redire.

On avait annoncé qu'on ferait mieux que les autres et, de toute évidence, c'est ce qu'on est en train de faire.

Mais où sont donc passés les méchants séparatistes ? Ils sont nombreux au Conseil des ministres mais on les sent plus préoccupés de faire marcher le « bon gouvernement » que d'expliquer les vertus de l'indépendance.

Il faut d'abord montrer qu'on est sérieux, après on verra.

Jacques Parizeau, Camille Laurin, quelques autres, continuent d'afficher publiquement leurs couleurs mais ils n'ont pas beaucoup de temps, eux non plus, pour répandre la bonne nouvelle.

René Lévesque part à New York où, ô surprise ! il parle d'indépendance de façon claire et précise, sans mâcher ses mots et en disant les choses comme elles sont.

Devant un aréopage de milliardaires éberlués pour qui le Québec est un gentil anachronisme folklorique, il affirme la volonté du peuple de devenir un jour souverain.

C'est une vraie bombe !

Les Américains et les Anglais se déchaînent. On parle d'un discours mal approprié, farci de comparaisons boiteuses avec l'indépendance américaine, propre à choquer plutôt qu'à séduire et à convaincre. C'est un vrai scandale !

C'était pourtant un fort bon discours qui mettait les points sur les *i* et qui renvoyait la balle dans l'autre camp, un des meilleurs discours que Lévesque ait jamais prononcés sur le sujet.

Surtout que, pour une fois, il n'avait pas eu peur de prononcer le mot maudit dont il se méfiait tant : *indépendance*. De quoi en tout cas réjouir et redonner espoir à tous les séparatistes du Parti. De quoi les tenir dans le rang pendant encore un bon bout de temps.

Devant la levée de boucliers de ses pires adversaires, Lévesque aurait dû récidiver, leur jeter de nouveau son seau d'eau froide en pleine face, leur tenir la dragée haute et leur rappeler l'indécence de la position qu'ils défendaient. Mais il ne le fit pas. Il rentra au Québec la tête entre les jambes en se jurant qu'on ne l'y reprendrait plus. Un peu plus et il admettait en public qu'il avait commis là une grave erreur. (Toujours ce besoin d'être applaudi par ses adversaires !)

On ne l'y reprendra plus en effet.

Occupons-nous plutôt des affaires courantes.

1977 : la loi 101, une loi normale pour une situation qui ne l'est pas. Le Conseil des ministres résiste aux objurgations de Camille Laurin. C'est aller trop loin, c'est humiliant, ça manque de générosité, et que va-t-on penser de nous à l'étranger ? Mais Laurin, appuyé de quelques membres du Conseil, ne lâche pas facilement. Et il gagne.

La loi 101 est adoptée et, en quelques semaines, elle bouleverse le paysage linguistique du Québec. On maugrée mais on s'y plie. On rue dans les brancards mais on se soumet. Le peuple est content. Il sent, pour la première fois de son histoire, qu'il peut compter sur son gouvernement pour l'appuyer dans sa lutte deux fois séculaire pour protéger et promouvoir le français au Québec.

La loi est toute neuve et elle a des dents. Elle n'a pas encore été massacrée par les tribunaux et elle a des effets psychologiques considérables, aussi

bien chez les francophones que chez les anglophones.

Dans la population, la tension baisse considérablement. On a l'impression que les choses se
« normalisent » enfin et que, si les minorités ont
des droits, la majorité a elle aussi le droit de respi-
rer.

Ah oui ! vraiment, c'est un bon gouvernement.

Nul n'en disconvient.

Mais la petite phrase lancinante revient à la
surface : « Nous n'avons pas été élus pour faire
mieux que les autres mais pour faire autre chose. »

L'« autre chose » consiste justement à échan-
ger un gouvernement provincial contre un
gouvernement national.

Qu'en est-il par les temps qui courent ?

Rien, ou presque rien. On s'évertue toujours,
à Québec, à éviter d'attaquer Ottawa de front mais,
pendant ce temps, Trudeau ne décolère pas et
dénonce à tour de bras les méchants séparatistes.
On a beau se défendre de l'être, il y a toujours
quelqu'un parmi les adversaires pour nous rappeler ce maudit article premier du programme qui
va « déchirer notre beau Canada », qui est « un
crime contre la civilisation », qui va « isoler le
Québec », qui va « créer des milliers de
chômeurs », qui va « nous faire honte dans le
monde entier » et qui va « nous faire perdre les
Rocheuses ».

Le discours est démagogique, malhonnête, pernicieux.

Il faudrait le contrer en attaquant à fond de train. Les arguments ne manquent pas qui démontrent les vertus de l'indépendance, aussi bien pour nous que pour les autres. Mais ce n'est pas le temps. Question de stratégie. Attendons le Référendum.

Trudeau, lui, n'attend pas. Il se fait farouche dans la promotion de l'indépendance de tous les pays du monde. Lui, qui affirme que le nationalisme est dépassé, que c'est une notion du XIXe siècle, un retour à la barbarie, se fait fort de défendre l'indépendance du Canada contre les visées américaines.

Trudeau est pour toutes les indépendances sauf pour celle de ce qu'il a encore l'outrecuidance d'appeler son peuple.

Quelle ironie ! Le voilà plus nationaliste que tous les nationalistes qu'il dénonce. Quand il défend l'indépendance du Canada, il ne peut pas ignorer, malgré les pirouettes intellectuelles qu'il exécute pour se justifier, que c'est l'indépendance des Anglais qu'il défend. Multiculturalisme, mon œil ! Il sait très bien qu'au Canada anglais tout le monde s'intègre à la majorité anglaise et que, en dernière analyse, ce sont les intérêts et les privilèges des *Wasps* qu'il défend.

Mais il n'en a cure, il n'en est pas à une contradiction près.

Ses idées fixes le plongent une fois de plus dans le ridicule. Alors que le peuple québécois est nationaliste et que c'est en épousant ce nationalisme qu'il eût pu avoir quelque succès, Trudeau prend la tête des Anglais du Canada qui, dans leur très grande majorité, ne sont nullement nationalistes. Il défend et promeut une indépendance dont ils n'ont cure. Déjà complètement assimilés par la culture américaine, ils ne voient aucun intérêt à « canadianiser » ni la culture, ni l'économie, ni la politique.

L'indépendantiste Trudeau est isolé dans sa tour d'ivoire. Les Canadiens ne le suivent pas dans cette voie. Alors, pour se faire illusion, il tape sur les nationalistes québécois qui veulent l'empêcher de réaliser son grand rêve.

Il ne fera pas l'indépendance du Canada, parce que les Canadiens anglais n'en veulent pas, mais tout au moins saura-t-il empêcher les Québécois de faire l'indépendance du Québec.

« Mieux vaut tout perdre que ne rien gagner. » C'est idiot comme phrase ? Je le sais bien, mais elle résume parfaitement l'itinéraire de Trudeau : fou comme d'la marde !

Fou mais batailleur. Et acharné. Et vengeur. Et sans scrupules. Et méchant, oui, franchement méchant.

À Québec, le « bon gouvernement » le laisse braire. Pourtant, il marque des points. Il a brillamment repris l'offensive à l'adversaire sur le seul terrain qui compte vraiment, celui de la lutte pour l'indépendance.

Mais on ne perd rien pour attendre. On va voir ce qu'on va voir. Le Référendum s'en vient. On le prépare en coulisses et on a tout prévu. Quand ? On ne le sait trop. La question ? Vous verrez. En tout cas, on ne pourra y répondre autrement que par OUI. La stratégie ? Faites-nous confiance, il ne peut y en avoir de meilleure. Ne vous l'avons-nous pas démontré lors de l'élection de 1976 ?

La souveraineté-association ? L'indépendance ? Pas tout de suite. Attendez la campagne référendaire.

Les stratégies du Parti québécois de même que ceux qui les inspirèrent sont devenus une véritable risée depuis lors mais, à cette époque, à l'époque du « bon gouvernement » où tout semblait fonctionner à merveille, les stratégies avaient bonne réputation et les stratèges une importance démesurée.

Non seulement les stratégies étaient-elles toutes conçues en fonction d'une victoire, inévitable de par leur qualité même, mais elles servaient aussi au mieux à faire patienter les plus militants, au pire à les détourner de leur véritable raison d'être : la lutte pour l'indépendance du Québec.

Chaque fois qu'on notait quelque glissement ou que René Lévesque annonçait un virage à 180°, la stratégie justifiait tout.

On s'aperçoit aujourd'hui qu'elle a justifié tous les renoncements, toutes les contradictions, tous les revirements, toutes les lâchetés.

La stratégie, quand elle oublie son but, vire à la manigance. Elle se substitue à l'action et devient elle-même action et raison d'être.

La stratégie comme élément essentiel de la cause. La stratégie comme succédané à l'analyse et à la réflexion. La stratégie comme excuse et justification. La stratégie comme parade à l'argument de poids. La stratégie à toutes les sauces.

La stratégie au service d'une idée qu'on se défend d'entretenir !

Le PQ mourra étouffé par ses stratégies pendant que ses stratèges, après avoir bien palabré, s'en iront écrire de beaux livres sur les stratégies-possibles-au-niveau-du-vécu-social-des-masses-questionnées-et-interpellées-par-la-défaillance-de-leur-volonté-politique.

Pour ma part, j'ai toujours cru qu'il n'y avait qu'une stratégie : parler d'indépendance en tous lieux et en tout temps jusqu'à avoir convaincu la majorité de ses vertus, prendre le pouvoir et déclarer l'indépendance.

Ça marche ou ça ne marche pas, mais au moins on a fait ce qu'il fallait. Et si ça ne marche pas, on rentre chez soi et on attend le prochain moment propice, qui ne viendra pas par hasard mais par la volonté qu'on a de l'accompagner quand il surgira.

Le Référendum s'en vient. Les stratèges sont réunis. La machine va se mettre en branle. On sait déjà que, comme l'avait prévu Claude Morin, le peuple ne pourra pas dire NON à un si bon gouvernement. D'ailleurs, la question est presque prête. « Vous pourrez en discuter entre vous, en famille, pendant les fêtes, nous dit Lévesque. Un beau cadeau, vous verrez ! »

C'est Noël. Le cadeau vient d'arriver. La question a été déposée sous l'arbre. Ouvrez l'enveloppe. Lisez.

Quel beau cadeau ! On va enfin savoir. Les paris sont ouverts. Qui aura l'honneur de la lire ?

Elle est là, toute chaude, entre les mains du plus jeune : « J'la lis pas, c'est trop long. Tiens, toi. » Le père n'en peut plus, il la lui arrache des mains : « Tiens, c'est vrai qu'elle est pas mal longue. »

« Lis quand même ! Allez, lis ! »

Et il lit :

« Le Gouvernement du Québec a fait connaître sa proposition d'en arriver, avec le reste du Canada, à une nouvelle entente fondée sur le principe de l'égalité des peuples ;

cette entente permettrait au Québec d'acquérir le pouvoir exclusif de faire ses lois, de percevoir ses impôts et d'établir ses relations extérieures — ce qui est la souveraineté — et, en même temps, de maintenir avec le Canada une association économique comportant l'utilisation de la même monnaie ;

aucun changement de statut politique résultant de ces négociations ne sera réalisé sans l'accord de la population lors d'un autre référendum ;

en conséquence, accordez-vous au Gouvernement du Québec le mandat de négocier l'entente proposée entre le Québec et le Canada ?

OUI

NON »

L'assemblée est quelque peu stupéfaite. Chacun y va de son interprétation. La mère, vieille militante qui a fait ses classes, se souvient de l'indépendance de l'Algérie. Elle se souvient même de la question qu'avait posée De Gaulle au peuple algérien :

« 1. Voulez-vous que l'Algérie devienne un pays indépendant ?
  2. Voulez-vous que ce pays soit associé à la France ? »

Elle ne peut s'empêcher de comparer les deux textes. Un peu confuse, quand même, elle se dit que ce doit être une question de stratégie. C'est vrai qu'on ne peut pas répondre NON à ce genre de question. À moins que...

La campagne démarre sur les chapeaux de roues, dans un vrombissement verbal éclatant et dans un déploiement d'images en cinémascope toutes plus brillantes les unes que les autres.

Tout le monde s'est mis sur son trente-six. On sent que militants et militantes, trop long-temps retenus, s'en donnent à cœur joie et pavoi-sent de toutes les couleurs un peu fanées qu'ils avaient repliées dans les tiroirs de la stratégie.

C'est dans l'enceinte de l'Assemblée nationale qu'on tire les premières cartouches. Ça pète le feu et, dès les premiers assauts, c'est la bousculade chez l'ennemi.

Claude Ryan, qui dirige les troupes du NON, nage désespérément pour survivre. Ma foi, le lion endormi vient de se réveiller et les observateurs prévoient déjà que si les choses continuent de cette façon, le OUI va l'emporter haut la main.

On a tout prévu pour que l'exercice soit aussi démocratique que possible. Le OUI n'appartient pas au Parti québécois et le NON n'appartient pas au Parti libéral. On invente deux comités para-pluies qui doivent, l'un et l'autre, chapeauter les deux camps en y regroupant les choix des uns et des autres. Les dépenses sont strictement limitées et les règles du jeu, sévères, sont précises et claires.

Une chose est certaine : quoi qu'il arrive, on ne pourra pas accuser le gouvernement du Parti québécois d'avoir pipé les dés ou de s'être arrogé des privilèges indus.

D'ailleurs, personne ne trouve rien à redire à la façon dont on mène les affaires. Tout au plus s'étonne-t-on un peu, dans certains quartiers, de la célébration étonnante de quelques mariages contre nature. Des gens qui ne s'étaient à peu près jamais parlé se retrouvent sous le même « parapluie », qu'ils ne semblent pas trouver trop encombrant. Quand il y a l'orage, il faut bien s'abriter !

La *Gazette,* évidemment, pisse le vinaigre à pleines pages. Comme à son habitude. Elle se plaint de voir les amitiés voler en éclats, les familles divisées, le peuple polarisé.

Elle appelle désespérément Trudeau à la rescousse pendant que ses lecteurs, inquiets, n'osent pas trop s'avancer. C'est en partie contre eux que se mène la bataille mais ils croient pouvoir éviter le pire si, discrets, ils laissent les Québécois francophones se déchirer entre eux. Ils n'ont pas tort.

Une fois la surprise de la première attaque passée, le camp du NON retrouve ses esprits et engage le combat.

Il sera sans merci. Claude Ryan et Jean Chrétien, qui ne peuvent pas se blairer, font face à l'ouragan sous le même parapluie. Ils se l'arrachent à qui mieux mieux et, tour à tour, ils poussent l'autre sous la douche.

Pas très élégant mais, qu'à cela ne tienne, la force brute se trouve dans le camp du NON et on n'hésitera pas à s'en servir.

Les belles règles volent en éclats. Du côté d'Ottawa, on les viole allégrement. Il faut sauver le Canada et tous les moyens sont bons pour ce faire.

Les dépenses sont limitées ? Quelle farce ! Ce n'est quand même pas un petit gouvernement provincial qui va dicter au gouvernement supérieur d'Ottawa la marche à suivre !

La publicité et la propagande sont réparties d'égale façon entre les deux camps ? Quels amateurs, ces péquistes ! Qu'ils aillent se rhabiller. À Ottawa, on a sa façon de faire les choses. Quand la fraude sera éventée, quand le scandale aura éclaté, la campagne référendaire sera déjà loin derrière nous et le Canada aura été sauvé... à n'importe quel prix.

Avec sa naïveté coutumière, René Lévesque avait cru que les « fédéraux » allaient se plier aux règles du jeu et qu'ils allaient mener un combat « civilisé » pour donner l'exemple au monde...

Civilisé, mon cul ! Ryan tonne et vitupère, traîne ses adversaires dans la boue, les criminalise par association et les voue à la géhenne de son enfer personnel. Complètement dépassé par les événements et incapable de maîtriser les hordes dépêchées d'Ottawa, il sombre dans cette puante malhonnêteté qui avait toujours été son apanage mais qu'il avait toujours su plus ou moins dissimuler sous les « observateurs avertis », les « esprits éclairés » et les « majorités conscientes » de ses éditoriaux d'antan. Aujourd'hui, toutefois, sous la pression des événements, cette malhonnêteté ressort comme un vomissement trop longtemps retenu que son impudente maladresse répand à tout vent.

On le voit alors dans toute sa nudité, tel qu'en lui-même, et il est proprement dégueulasse.

Je me dis que voilà bien l'homme politique le plus sale qu'il m'ait été donné de rencontrer. Et je cherche le moment opportun où il me sera permis de le crier à la face du monde. Le temps viendra...

De son côté, le camp du OUI ne respire pas que les plus fins parfums. Quelques odeurs nauséabondes affleurent parfois à la surface, mais, à côté des égouts d'Ottawa qui refoulent sur tout le Québec, c'est de la petite bière.

Arrive l'incident malheureux des « Yvette » qui va galvaniser le camp du NON. D'un côté comme de l'autre, on va se servir de cette malheureuse erreur de la plus malhonnête façon. D'un côté, chez les NON, on va faire mine de ne pas s'apercevoir que les paroles de Lise Payette n'ont rien à voir avec le débat en cours et on va embarquer des milliers de gens sur une voie de garage, dans des assemblées animées par de vieilles dames qui se trémoussent sur des airs américains pour mieux démontrer leur attachement au Canada. Le spectacle du Forum fut une vraie honte, non pas pour ceux et celles qui s'y amenèrent naïvement pour défendre quelque chose en quoi ils croyaient, mais pour ces fantoches qui braillaient sur la scène, manipulés en coulisses par des organisateurs véreux qui se foutaient aussi bien du Canada que du Québec.

J'ai eu honte plus d'une fois pendant cette campagne. Ce ne sont pas la défense et l'illustration du Canada qui me scandalisaient (certains les ont faites avec beaucoup de dignité), c'est le mépris arrogant et persifleur du Québec.

Beaucoup de Québécois ont craché sur le Québec pendant cette campagne et cela restera toujours impardonnable.

De l'autre côté, chez les OUI on va se servir de Lise Payette comme bouc émissaire. Selon certains, René Lévesque le premier, elle était coupable d'avoir fait tourner le vent. Jusque-là, tout allait bien mais c'est elle, la gaffeuse, qui avait tout compromis.

Malhabile et injuste justification. À y regarder de près, le discours de Mme Payette n'était pas très bon. Le relisant, quelques mois plus tard, je l'ai trouvé franchement mauvais.

À y regarder de plus près encore, il faut bien constater que Lise Payette avait fait d'autres discours dans sa vie, et de bien meilleurs, et qu'elle avait rallié au camp du OUI bien plus de gens qu'elle n'en avait fait fuir vers le camp du NON.

Mais sa « gaffe » arrangeait bien les deux côtés.

Pourtant, le vent avait déjà commencé à tourner.

Il importe peu de raconter dans le détail l'histoire de la campagne référendaire. On sait trop bien comment elle s'est terminée.

C'est le temps d'analyser les discours et de réfléchir à leurs conséquences.

Il se passa quelque chose d'inouï pendant cette campagne référendaire sur la souveraineté du Québec.

Les adversaires de l'indépendance firent des centaines de discours où ils traitaient de l'indépendance, évidemment pour en souligner tous les méfaits. Pendant ce temps, les tenants de l'indépendance prononcèrent des centaines de discours où ils faisaient abstraction de celle-ci, voire même de la souveraineté-association, et si, par malheur, ils en lançaient l'idée, c'était pour s'excuser de l'entretenir.

Les adversaires de l'indépendance disaient : « Si vous votez OUI, le Québec deviendra indépendant. » Les tenants de l'indépendance disaient : « Si vous votez OUI, ne vous inquiétez pas, nous ne ferons pas l'indépendance. »

Les fédéralistes parlaient d'indépendance pendant que les souverainistes parlaient d'association.

Je n'en croyais pas mes oreilles. J'en étais proprement scandalisé. Même des vieux militants en qui j'avais toute confiance se pliaient à une stratégie qui ne pouvait avoir d'autre but que d'induire les gens en erreur et de les engager à voter OUI par inadvertance.

La campagne avait bien commencé. À l'Assemblée nationale, c'était à qui aurait le mieux affiché ses couleurs indépendantistes. Mais, aussitôt sortis de l'enceinte sacrée, députés et ministres s'efforçaient à qui mieux mieux de taire leurs convictions pour mieux souligner l'importance du lien essentiel entre le Québec et le Canada de demain.

Je me demande encore ce qui a pu se passer dans la tête des citoyens et des citoyennes à cette époque-là.

Qu'ont-ils compris de ces messages contradictoires ? Qu'en ont-ils retenu ? Pourquoi ont-ils voté OUI ou NON ?

On ne le saura jamais, parce que tout le débat s'enlisa dans une telle confusion qu'on ne pouvait plus savoir ce qu'on nous proposait, ni d'un côté ni de l'autre.

En mettant l'accent sur l'association, on ouvrait toute grande la porte aux adversaires, qui se firent fort, dès les premiers jours, de répéter à satiété qu'il ne pouvait en être question. On invitait également les gens à penser qu'il ne se passerait rien au lendemain du Référendum et que ce branle-bas gigantesque n'avait pour seul objectif que de renégocier quelques accommodements avec les provinces anglaises du Canada.

Il fallait à tout prix, nous disait-on, ne pas faire peur aux gens. J'en vins pourtant à la conclusion que les gens finirent par avoir peur qu'il ne se passât rien.

On les engageait dans un combat titanesque, on exigeait d'eux sacrifices, efforts et argent, on leur promettait quelque abstrait paradis, on les jetait farouchement contre l'ennemi pour leur annoncer soudain qu'il ne se passerait rien, qu'on allait les reconsulter, qu'on allait voir du côté d'Ottawa et des provinces anglaises s'il y avait quelques discussions possibles, et qu'après tout il ne fallait vraiment pas s'en faire pour si peu.

Les gens ne sont pas fous. Pourquoi dire OUI à des gens qui promettaient de ne pas faire l'indépendance et qui se refusaient même d'en parler ?

Pourquoi s'exciter de la sorte quand « on n'est pas si mal après tout » ?

Les avantages de l'indépendance ? Personne n'en souffla mot.

Pourtant, les porte-parole étaient bardés d'arguments tous plus convaincants les uns que les autres. Ils avaient eu de multiples occasions de les raffiner tout au cours des 15 ou 20 années qui avaient précédé. Ils avaient fait des centaines de discours sur ce thème. Aujourd'hui, ils ne répondaient rien aux bouffons qui venaient clamer que l'indépendance serait une tragédie, qu'elle ferait sauter le Canada, qu'elle amènerait l'armée américaine à nos portes, qu'elle allait nous jeter dans la misère et que nous allions retomber dans le tribalisme et l'isolement dont nous avions eu tant de peine à nous extirper.

Les sales tiraient à boulets rouges sur nos positions et nous leur répondions que nous leur serions reconnaissants de bien vouloir s'associer à notre belle province.

Je me demande bien ce qu'ont pu penser les « fédéraux » devant pareille pusillanimité. C'est le seul mot qui me vienne à l'esprit quand je me souviens de cette époque tragique où les tenants de l'indépendance, de la souveraineté ou de la souveraineté-association montaient au front armés de leurs seuls prétextes et de leurs seules justifications alors qu'ils auraient pu brandir une idée qui avait fait ses preuves partout dans le monde, qui avait rallié des milliers d'adeptes ici même au Québec, qui avait soulevé les enthousiasmes et inspiré les plus grands efforts et les plus sublimes sacrifices, une idée gagnante, facile à expliquer et facile à comprendre, une idée normale que se vantaient d'entretenir tous les peuples de la Terre, une idée libératrice et emballante, une idée forte et joyeuse qu'on n'osait même plus montrer en public, comme si on en avait honte ou comme si elle était indéfendable, comme si elle faisait peur surtout à ceux qui s'étaient donné mission de l'entretenir, de la diffuser et d'y rallier une majorité qui aurait pu décider, pour une fois dans son histoire, de son destin.

Encore aujourd'hui, j'ai peine à croire à tant de pusillanimité de la part d'un chef que nous vénérions, d'un parti qui avait maintes fois démontré son courage, et chez des centaines de milliers de gens qui taisaient leurs plus profonds sentiments et leurs plus nobles espoirs dans la crainte de semer le désarroi, de provoquer la confusion et de risquer l'éclatement dans un moment aussi crucial de notre histoire.

J'y pense aujourd'hui et je n'en reviens toujours pas.

Trudeau et sa *gang* furent parfaitement dégueulasses. Soit. Ils ont tout fait pour nous battre et ils nous ont battus.

Mais jusqu'à quel point ne nous sommes-nous pas battus nous-mêmes ?

Relisez les journaux parus au cours des trois semaines qui ont précédé le jour du Référendum. Pas une fois, dans les annonces du camp du OUI, il n'est fait mention d'indépendance ou de souveraineté. Les ordres, venus d'en haut, interdisaient qu'on en parlât. Il fallait mettre tout l'accent sur l'association. On ne retrouve que ce mot dans la propagande du OUI.

On ne pouvait plus indiquer clairement son appartenance au fédéralisme ou au Canada, renouvelés certes, mais sans la moindre connotation séparatiste.

Quelle étrange aberration historique ! Les fédéralistes, qui défendaient une idée qui ne faisait peur à personne, le *statu quo* quoi, firent une campagne de terreur sur le dos de leurs adversaires. Il leur fallait faire peur à tout prix et ils ont réussi.

De leur côté, les souverainistes, dont l'idée faisait peur et avec raison, prétendirent qu'il n'y avait rien là et qu'il ne fallait surtout pas avoir peur.

Les « dangereux » se présentaient en moutons. Les rassurants jouaient les loups enragés.

Les souverainistes ne parlaient que d'association. Les fédéralistes ne parlaient que de séparation et de destruction.

Trudeau affirmait qu'un NON voulait dire OUI et Lévesque affirmait qu'un OUI voulait dire NON, au mieux « peut-être ».

La confusion la plus totale.

Je ne peux pas l'affirmer avec certitude, mais j'ai le sentiment que la plupart des gens ont voté

OUI ou NON sans savoir aucunement à quoi ils s'engageaient ce faisant.

Je vous avoue que, pour ma part, en votant OUI, je ne sus vraiment jamais ce qui me pendait au bout du nez.

D'ailleurs, j'y pense, quelle belle question : Que se serait-il passé si le OUI l'avait emporté ?

Y a-t-il quelqu'un dans la salle qui connaisse la réponse ?

Je ne m'attarderai certainement pas à faire l'effort d'y penser mais, comme prochain cadeau de Noël, vous ne pensez pas que ce serait « une bonne question à discuter en famille » ?

La question.

On se demande encore aujourd'hui si c'était la bonne.

Moi, je pense qu'elle manquait de simplicité et qu'y répondre par l'affirmative ne pouvait pas mener bien loin.

Parce que ce n'est pas la question qui importe, c'est ce qu'on fait de la réponse.

Quand la volonté politique existe, la question n'a aucune importance. Il est évident aujourd'hui que cette volonté n'existait pas et que la réponse ne pouvait que servir à justifier à peu près n'importe quoi.

En vérité, la question aurait pu être aussi simple que : « Aimez-vous le Québec ? » Selon le sens qu'on lui eût donné, on aurait su si les Québécois voulaient l'indépendance ou non.

Les indépendantistes auraient pu tenter de convaincre la majorité qu'on ne pouvait pas aimer le Québec sans souhaiter son indépendance. Personne ne s'y serait trompé.

Les fédéralistes auraient pu tenter de convaincre la majorité que quand on aime vraiment le Québec on veut absolument le marier au plus beau parti possible : le Canada. Encore là, personne ne s'y serait trompé.

La question, vous dis-je, n'a pas d'importance.

C'est toujours la réponse qui compte.

Voici mon interprétation. La majorité des Québécois ont refusé de répondre OUI à des gens qui cachaient leur identité sous prétexte de ne pas leur faire peur.

Quels qu'aient pu être les torts de nos adversaires, ils étaient nos adversaires et ils se sont battus pour nous écraser. À la guerre comme à la guerre !

Mais quelles qu'aient pu être nos vertus, nous nous sommes battus à notre propre jeu et c'est de ce genre de blessure qu'on ne se remet peut-être jamais.

On ne joue pas impunément avec une idée. Elle charrie toujours le meilleur et le pire. Mais il est certain qu'elle ne peut charrier le meilleur quand on s'excuse honteusement de l'entretenir.

Le soir du Référendum, je pensais tristement à la chance historique que nous avions ratée par notre faute.

J'étais assis devant les caméras de télévision, à côté de Robert Bourassa. J'en profitai d'abord pour annoncer son retour (ce qui ne manqua pas de se produire).

J'annonçai aussi une nuit des longs couteaux au sein du Parti québécois à la suite de cette défaite humiliante (ce qui ne se produisit pas).

Je me retins d'afficher mon amertume devant ces milliers de gens avec qui j'avais combattu depuis 20 ans. J'avais envie de m'en prendre à René Lévesque. Je n'en fis rien.

Comme tout le monde, je m'attachai à détourner l'attention. Alors, je laissai tomber la phrase qui m'était venue à l'esprit plus tôt pendant la campagne : « Claude Ryan est l'homme politique le plus sale que j'aie jamais rencontré. » J'avais trouvé un bouc émissaire qui allait nous permettre de survivre jusqu'au lendemain.

Et Robert Bourassa ajouta, ironique envers moi et méchant envers Claude Ryan : « Monsieur Bourgault exagère quand même un peu. »

Ce soir-là, ils étaient des milliers qui entouraient René Lévesque pour l'ovationner en pleurant dans la défaite. Plutôt désemparé, il n'en resta pas moins digne. Se sentait-il responsable de ce qui venait de se passer ?

De l'autre côté, quelques centaines de partisans, plus éméchés qu'enthousiastes, s'efforçaient
de faire croire à leur victoire, autour de Claude
Ryan et de Jean Chrétien qui se sautaient à la
gorge.

Claude Ryan parla. Il n'eut pas plus d'élégance dans la victoire que dans la défaite.

Ce soir-là, beaucoup de fédéralistes sincères
pleurèrent tout autant que les indépendantistes.
Ils sentaient bien ce que leur victoire allait coûter
au peuple québécois. Ils avaient un peu honte
d'avoir gagné.

Ce soir-là, Pierre Trudeau parla peu. Il le fit
avec beaucoup de dignité et je lui en fus recon-
naissant. Ressentait-il de la compassion pour ses
adversaires effondrés ou mesurait-il le poids de
sa trahison ?

Nul ne le sait.

Et je ne veux surtout pas le savoir.

Que voilà donc une triste histoire.

Et je continue de croire que cette tragédie
aurait pu être évitée.

Je crois avoir démontré comment, au fil des
événements et des circonstances, entre 1960 et
1985, le projet initial de l'indépendance du
Québec fut détourné de ses fins propres.
Comment, de tergiversations en revirements, de
poussées de fièvre en déprimes carabinées, de

diktats en ukases, d'élans de générosité en louvoiements serviles, d'engagements enthousiastes en démissions coupables, nous en sommes arrivés imperceptiblement, presque inconsciemment, à nous renier nous-mêmes.

Résumons, si possible, la liste des erreurs :

1) C'était une erreur de croire, en 1973, que le Parti québécois plafonnait.

2) C'était une erreur, dès lors, de proposer de tenir un référendum après la prise du pouvoir d'un « bon gouvernement ».

3) C'était une erreur de mettre la souveraineté en veilleuse.

4) Une fois prise la décision de tenir un référendum, c'était une erreur de le tenir si tard après la prise du pouvoir.

5) C'était une erreur de ne pas parler d'indépendance ou de souveraineté pendant presque toute la campagne référendaire.

6) C'était une erreur de ne pas lier la décision référendaire au processus devant mener à l'indépendance.

7) C'était une erreur, une fois les résultats du Référendum connus, de les interpréter de la façon dont René Lévesque l'a fait.

8) C'était une erreur (sans doute la plus grave) de ne pas relancer le combat immédiatement après la défaite du 20 mai 1980.

9) C'était une erreur de vouloir courir « le beau risque ».

10) C'était une erreur d'établir une alliance circonstancielle avec les provinces anglaises du Canada.

11) C'était une erreur d'aller tenter de négocier quelques accommodements sans importance avec Trudeau.

12) C'était une erreur, au retour d'Ottawa, de relancer le Parti dans la bataille pour ensuite le freiner brusquement.

13) C'était une erreur de reculer jusqu'au point de faire éclater le Parti.

14) C'était une erreur de ne pas reprendre l'offensive souverainiste lors de la campagne électorale de 1981.

15) C'était une erreur de n'avoir à peu près pas parlé d'indépendance de 1974 à 1985, d'avoir laissé nos adversaires en parler à tort et à travers pendant toutes ces années en leur permettant d'occuper les meilleures positions sur le terrain.

Toutes ces erreurs sont trop graves pour les imputer aux seules défaillances de la stratégie.

En vérité, les erreurs stratégiques ont suivi la grande erreur idéologique. C'est en assoyant le Parti québécois sur de fausses prémisses que René Lévesque l'a engagé dans une suite d'erreurs fatales. Le début appelait sans recours la suite et la conclusion.

On dira que le Parti québécois a fait de bien bonnes choses, qu'il a su rallier dans ses rangs les meilleures compétences, qu'il a permis la démocratisation des partis politiques québécois, qu'il a éveillé les consciences jusqu'alors imperméables à certaines idées.

C'est vrai et nul ne le conteste.

Mais tout cela était à la portée de n'importe quel parti provincial dynamique et progressiste. On pourrait en dire autant du Parti libéral.

Dans une perspective « provinciale », toutes les erreurs que j'ai énumérées se transforment en hypothèses de succès. Dans cette perspective, le Parti québécois a réussi tout ce qu'il a entrepris et il a fait progresser la société québécoise de façon évidente.

Mais ce n'est pas de cela qu'il s'agit.

Le Parti québécois était un parti voué à la promotion et à l'établissement d'un Québec souverain.

Or, non seulement le Québec n'est-il pas indépendant aujourd'hui, ce qui ne constitue pas un drame en soi, mais le mouvement indépendantiste lui-même a toutes les peines du monde à se remettre de ce violent traumatisme.

C'est toute la dynamique qui a été cassée et c'est de peine et de misère qu'on tente de la recréer. Avec quelles chances de succès ?

C'est dans cette perspective « nationale » qu'il nous faut conclure que René Lévesque et le Parti québécois n'ont pas fait ce qu'ils avaient à faire.

Le bilan est lourd :

1) Le Québec se retrouve plus faible que jamais devant Ottawa et les provinces anglaises du Canada. Ce ne sont pas les « accords » du lac Meech qui peuvent nous démontrer le contraire.

2) La « menace séparatiste » n'existe plus. À défaut de mener directement à l'indépendance, elle nous avait toujours permis de marquer des points.

3) Le Parti québécois est forcé de se reconstruire presque à partir de zéro.

4) Des centaines de milliers de militants et de militantes, trompés, jurent qu'on ne les y reprendra plus.

5) L'idée même de l'indépendance a toutes les peines du monde à refaire surface.

6) Les jeunes n'ont jamais entendu parler d'indépendance et, malgré leur renaissance politique, cherchent dans le noir la voie à suivre.

7) Les affairistes ont pris le pouvoir et manipulent à l'envi un peuple à l'imaginaire mutilé.

8) La société québécoise est désemparée.

9) Les Anglais du Québec ont repris du poil de la bête et rêvent de vengeance. C'est déjà commencé.

10) Nombreux sont ceux et celles qui vont jusqu'à renier la cause qui leur tenait tant à cœur autrefois.

11) Il n'est pas certain que cette chance historique se représentera.

12) Nous avons payé cher et nous payons encore le coût de la bataille pour l'indépendance, mais sans l'avoir faite.

Payer, passe encore, mais pour rien ?

Pourtant, pourtant...

Pourtant, je n'arrive pas à me désespérer.

Il y a du nouveau dans l'air québécois.

Le Parti québécois se reconstruit et se redonne l'indépendance comme objectif. Hésitants, des militants et des militantes reprennent du service.

La langue redevient le moteur du mouvement.

Et les jeunes, ah oui ! surtout les jeunes, qui n'ont connu ni l'enthousiasme ni la morosité de leurs aînés, semblent découvrir à leur tour la magie de l'espoir, la formidable attirance de la liberté.

Ils ne connaissent pas le discours indépendantiste, mais il semble possible aujourd'hui qu'ils le réinventent à leur image et à leur ressemblance.

Oui, cela se peut.

Deuxième partie

L'HISTOIRE D'UNE RÉUSSITE

Bon, ça n'a pas marché aussi bien que nous l'aurions voulu. Le grand rêve de l'indépendance ne s'est pas encore réalisé.

Partiellement aveuglés par cet arbre immense qui cache la forêt, nous ne voyons pas toujours et distinctement les milliers de petits arbres que nous avons plantés depuis 30 ans et qui ont changé le paysage québécois de façon dramatique.

Les indépendantistes ont toujours cru qu'il ne fallait pas attendre le grand soir pour faire ce qu'il était possible de faire à l'intérieur du cadre canadien. Les Québécois, toutes tendances confondues, se sont mis en marche avec une détermination remarquable et ont accéléré le pas pour entrer de plain-pied et avec entrain dans le monde moderne.

C'est en regardant le chemin parcouru que nous pouvons nous consoler de ne pas encore

avoir gagné le gros lot. Tous les espoirs redeviennent permis quand nous additionnons les
combats acharnés que nous avons menés et quand
nous comptons les batailles que nous avons
gagnées.

Si nous avons pu, nous pourrons encore. Si
nous avons gagné tant de batailles, nous finirons
bien par gagner la guerre.

La société québécoise ressemble si peu à ce
qu'elle était il y a 30 ans qu'on a souvent peine à
la reconnaître. Nous n'avons pas chômé depuis
1960 et je crois que nous avons raison de tirer
fierté de ce que nous avons réussi.

Je parle de 1960 comme si l'histoire avait
commencé avec nous. Évidemment, il n'en est rien.
Nous n'aurions pas pu faire ce que nous avons
fait si d'autres avant nous n'avaient pas fait ce qu'ils
avaient à faire.

Ne nous trompons pas : nous n'avons pas
inventé grand-chose depuis 30 ans. Nous avons
surtout fait du rattrapage. Il fallait faire vite si
nous ne voulions pas être complètement dépassés
et nous avons dû mettre les bouchées doubles.
Pressés par le temps, nous avons parfois mis de
l'avant des solutions qui, à l'usage, n'ont pas donné
ce qu'on en attendait. Nous n'avons pas résisté à
tous les phénomènes de mode. Nous avons parfois
travaillé à la hache là où il eut fallu plus de rete-
nue.

Mais je crois que, dans l'ensemble, le travail
fut passablement bien fait.

La liste des réussites que je présente ici n'est évidemment pas exhaustive. J'ai voulu simplement retenir l'essentiel pour nous tendre un miroir qui ne soit pas trop déformant.

Car deux sortes de miroirs déformants occultent aujourd'hui notre réalité. Le premier nous présente une image si exaltante des années soixante qu'on a l'impression que tout ce qui suit ne peut être qu'insignifiant. Non seulement ce miroir déforme-t-il la réalité, mais il nous fait facilement mépriser ceux qui nous suivent tout en leur coupant les jambes à jamais.

Le deuxième ne nous renvoie qu'à la morosité de l'après-Référendum. Il nous fait oublier tout ce qui a accompagné ce vaste mouvement pour ne retenir que l'espoir déçu et l'impression d'impuissance.

Il est aussi déformant que le premier.

C'est pourquoi, question d'équilibre, j'ai voulu vous parler, après l'histoire d'un échec, de l'histoire d'une réussite incontestable.

Le Québec

Le mot *Québec*, il y a 30 ans, évoquait surtout la ville du même nom. Quand quelqu'un disait : « Je suis québécois », on lui répondait qu'on était de Montréal, de Matane ou de Saint-Hyacinthe.

Cela est toujours vrai aujourd'hui, mais le mot a acquis une nouvelle dimension qu'il n'avait pas en ce temps-là.

Au début de la colonie, nous étions des Français. Puis, nous sommes devenus des Canadiens. Nous le sommes restés jusqu'au début du XXe siècle et même un peu au-delà. Souvenez-vous, il y avait les Canadiens et les Anglais. On vit ensuite apparaître les Canadiens français. Ils existent encore dans les provinces anglaises du Canada et il en reste un certain nombre au Québec. Les années soixante virent enfin apparaître les Québécois.

Chacune de ces dénominations désigne une réalité différente. Les Français du début de la colonie, qui venaient d'arriver au pays, se percevaient encore comme des immigrants et des conquérants. S'ils devinrent canadiens, c'est que leur implantation dans le pays semblait désormais assurée et qu'ils s'opposaient déjà au pouvoir de la métropole française.

Ce sont ces mêmes Canadiens qui se sont longtemps opposés au pouvoir de la métropole britannique. Les Anglais restaient alors des Anglais parce que leur attachement à la couronne britannique surpassait de loin leur attachement au Canada. De plus, les Canadiens luttaient pour l'indépendance du Canada alors que les Anglais refusaient de rompre le lien avec la Grande-Bretagne.

Pendant longtemps, les Canadiens ont pu se percevoir comme une majorité. Au moment de la conquête, ils étaient six fois plus nombreux que les Anglais. Ils étaient toujours majoritaires dans le Bas-Canada (Québec) quand l'Acte d'Union, en 1841, en fusionnant le Haut (Ontario) et le Bas-Canada, vint les minoriser dans la nouvelle entité.

Bien que dépourvus de véritables pouvoirs, ils avaient eu jusqu'alors le poids du nombre.

À la signature du *BNA Act*, en 1867, ils sont minoritaires et le resteront à jamais.

Quand ils deviennent des Canadiens français, peu de temps après, ils n'auront d'autre choix que de se percevoir comme minoritaires au Canada.

Les « Canadiens français », aujourd'hui, ne forment plus que 24 % de la population canadienne. C'est pourquoi, quand on se dit canadien-français, on s'installe à jamais dans un statut de minoritaire dont le pourcentage va sans cesse décroissant.

Or, les francophones sont majoritaires au Québec. En devenant des Québécois, les Canadiens français passaient du statut de minoritaires au Canada à celui de majoritaires au Québec.

Il y a là une différence essentielle. En effet, selon qu'on s'identifie à une minorité ou à une majorité, on perçoit les choses de façon fort différente et on adopte les comportements liés à l'une ou l'autre définition.

C'est donc un changement extrêmement important qui s'est produit au Québec depuis 30 ans. Il explique en partie le dynamisme de notre société et il est à la fois cause et conséquence de tous les mouvements qui nous animent depuis lors.

Désormais, le Québec est symboliquement séparé du Canada. C'est si vrai que, même aujourd'hui, alors qu'on nous dit que le nationalisme est mort, tous les bulletins d'information, tous les reportages, nous parlent tout naturellement du Québec et du Canada comme s'il s'agissait de deux entités distinctes.

Mais cela reste symbolique. Tant que le Québec ne sera pas politiquement indépendant du Canada, nous souffrirons d'une sorte de schizophrénie pernicieuse. Nous aurons beau nous dire majoritaires au Québec, nous continuerons, dans la réalité, dans la vraie vie, à être minoritaires au Canada. Et, évidemment, nous continuerons d'être traités comme tels.

Il n'était pourtant pas inutile de franchir ce passage symbolique. Il arrive souvent, en effet, que le symbole précède la réalité et il peut arriver, du moins je l'espère, que les Québécois, à force de se percevoir comme majoritaires, décident enfin d'agir en conséquence.

Il reste encore trop de Canadiens et de Canadiens français au Québec pour en arriver là. Mais le mouvement est bien amorcé et le jour n'est pas loin, je crois, où les Québécois francophones se percevront globalement comme majoritaires. Ce jour-là, ils n'auront plus qu'à décider que faire de ce nouveau statut. Je parie qu'ils feront alors ce que tous les peuples normaux ont déjà fait avant eux : l'indépendance de leur pays.

Ce sont les Canadiens français qui, pendant près de deux siècles, ont poussé le Canada vers son indépendance.

Ce sont les Canadiens français, devenus des Québécois par la force des choses, qui réaliseront l'indépendance du Québec.

L'éducation

Vous souvenez-vous de ce qu'était l'éducation au Québec en 1960 ? M. Duplessis, quelques années plus tôt, avait beau clamer que nous avions le meilleur système d'éducation au monde, on ne pouvait être dupe éternellement de pareille fumisterie.

La réalité était beaucoup moins reluisante. En vérité, et c'est là que résidait tout le scandale, seule une infime partie du peuple québécois fréquentait l'école.

Le nombre d'analphabètes était considérable et on dépassait rarement sept années de scolarité.

Quelques bons collèges répondaient aux besoins les plus criants, instruisant quelques milliers de privilégiés qui, pour une grande partie, se voyaient ensuite privés d'études universitaires.

L'ignorance était l'apanage du plus grand nombre et l'enseignement restait une vocation qu'on rémunérait aussi mal que possible.

Or, malgré tout, c'est grâce à de véritables tours de force que nous avions pu nous rendre jusque-là.

On oublie trop facilement que les conditions dans lesquelles nous avions vécu pendant 200 ans avaient été dramatiques.

On oublie trop facilement la misère qui fut notre lot pendant si longtemps. On oublie également la férocité du conquérant anglais qui, d'un peuple démuni, fit un peuple exsangue qui ne réussit à éviter le gouffre qu'au prix d'efforts surhumains et de dévouements insensés.

On oublie le climat. On oublie les exactions. On oublie les saignées successives. On oublie la pauvreté. On oublie l'étendue du territoire et la taille réduite des populations. On oublie l'absence de moyens de communication adéquats. On oublie l'éloignement de la mère patrie. On oublie la férocité de la maladie et les contraintes infernales de la colonisation.

Quand on sait tout cela, on ne peut que crier au miracle devant la résistance de ce petit peuple français qui avait réussi à se rendre, tant bien que mal, jusqu'en 1960.

Bravo ! avions-nous envie de crier.

Nous savions pourtant que nous avions pris de nombreux retards et que, malgré les avanies de l'histoire, il nous faudrait désormais prendre les choses en main et ne compter que sur nous-mêmes pour en sortir une fois pour toutes. C'est du moins ce que nous espérions.

C'est ainsi que l'éducation devint la priorité des priorités. Des écoles, des collèges, des universités, un ministère de l'Éducation, des enseignants dont la fonction, enfin, allait recevoir quelque reconnaissance sociale.

Et surtout, des enfants qui, par centaines de milliers, allaient prendre d'assaut les nouvelles institutions, au point de les faire éclater aux coutures.

Entre 1958 et 1964, nous avons multiplié par sept le nombre des élèves dans nos écoles secondaires, et le rythme s'est maintenu jusqu'à ce jour. L'école gratuite. Le collège et l'université enfin ouverts à une très grande partie de la population. Des changements de structures et de programmes considérables. Un nouvel esprit qui gagna vite toutes les régions du Québec.

Ce fut un effort inouï. Nos parents, qui avaient peu d'instruction et qui n'étaient pas riches, se saignèrent à blanc pour que leurs enfants soient plus instruits qu'eux, meilleurs qu'eux. On ne dira jamais assez l'abnégation et la générosité de cette génération, presque disparue aujourd'hui, qui permit ce grand bond en avant dont elle ne connaîtrait les bénéfices que dans le regard ébloui de ses enfants et de ses petits-enfants. Rien pour soi, tout pour les autres. Il fallait le faire ! Et cela fut fait.

Moins de 30 ans plus tard, nous n'avons peut-être pas rattrapé les grandes sociétés industrialisées du monde, mais nous sommes en avance sur la très grande majorité des nations et presque tous les objectifs que nous nous étions fixés ont été atteints, parfois même largement dépassés.

Nous n'avons toujours pas le meilleur système d'éducation au monde et il nous faut encore le redresser, et l'améliorer, et le bousculer, et le revivifier, mais il existe enfin.

Oui, nous avons enfin un système d'éducation et il en vaut bien d'autres.

(De nos jours, la mode est à la comparaison avec les Japonais. Je me demande bien pourquoi. Pour ma part, je ne veux pas du système d'éducation japonais, je ne veux pas vivre dans une société à la japonaise et je refuse de payer le prix exorbitant de la « réussite » japonaise. Vouloir imposer ce prix-là à nos enfants relève du sadisme le plus pur. J'en ai marre de cette comparaison idiote et je préfère de beaucoup notre système d'éducation moins « performant » à celui des

Japonais qui, sous prétexte de conquérir le monde, envoient leurs enfants à l'abattoir.)

Ce fut une bataille épique menée à un train d'enfer. Elle a exigé des renoncements douloureux, des appréhensions angoissantes, des remises en question souvent pathétiques, des espoirs fous, des sommes d'argent incroyables, des efforts hors du commun, des bouleversements traumatisants, des enthousiasmes éperdus.

Elle a changé la société québécoise de fond en comble.

Je dis que c'est une victoire incroyable.

Oui, nos enfants sont meilleurs que nous. C'est pourquoi nous en sommes parfois jaloux. Il ne faut pas. N'oublions pas que nous avons voulu qu'ils le soient et que nous avons réussi.

Ne boudons pas cette victoire. Incitons plutôt nos enfants à rendre les leurs meilleurs qu'eux-mêmes.

Ils ne nous doivent rien. Ils doivent tout à ceux qui viennent.

Les femmes

Je dis depuis longtemps que la révolution des femmes est la plus importante qu'ait connue le monde depuis qu'il existe. D'abord parce qu'il s'agit d'un mouvement qui, contrairement aux autres qui ont marqué l'histoire, est l'affaire d'une majorité. C'est peut-être la première fois dans l'histoire du monde qu'une révolution est le fait d'une majorité. Cela n'est pas sans importance. Le poids du nombre permet aux femmes d'occuper un espace beaucoup plus vaste dans l'aire des revendications et donne à leur mouvement une vitesse d'accélération qu'il n'aurait pas autrement.

C'est aussi une révolution qui va jusqu'à changer la nature même des choses, ce qui ne fut jamais le cas auparavant.

Les révolutions antérieures ont voulu changer les acquis, la culture, les traditions, les habitudes, les systèmes.

La révolution des femmes fait de même, mais elle va plus loin : elle vise et réussit à changer la nature même de l'être humain. À partir du moment où la femme n'est plus forcée, par la nature ou par les contraintes sociales, de faire des enfants, elle renverse toutes les données d'une histoire plusieurs fois millénaire et change radicalement la donne.

C'est la nature elle-même qui est mise en échec. Cela avait été fait auparavant, mais cela n'avait jamais touché instantanément la majorité des membres qui composent nos sociétés.

La porte étant ainsi ouverte, encore fallait-il

qu'on entrât de plain-pied dans nombre de domaines jusqu'alors inexplorés.

C'est ce que firent et que font les femmes et, singulièrement, celles du Québec.

Il ne s'agit pas ici de porter un jugement de valeur sur le discours féministe, pris en tout ou en partie. Pour ma part, j'ai certaines réserves sur nombre de propositions avancées par les femmes. N'en aurais-je pas que je me ferais quand même un devoir de discuter ce discours comme je le fais de tous les autres, y compris le mien.

Mais là n'est pas mon propos.

Je ne veux que souligner ici ce mouvement irréversible qui a changé la société québécoise comme aucun autre mouvement ne l'a fait auparavant et qui continuera de la transformer en profondeur de la manière la plus imprévisible qui soit.

Déjà, il y a 30 ans, dans tous mes discours, j'affirmais que le Québec ne pourrait continuer de se passer plus longtemps de 52 % des cerveaux du pays.

C'était, à l'époque, un vœu pieux qui allait se transformer, beaucoup plus rapidement qu'on aurait pu l'imaginer, en une réalité bien concrète.

Il reste un long chemin à parcourir, mais à peu près tout le monde s'entend pour dire que c'est au Québec que les femmes ont fait le plus de progrès et plus rapidement que n'importe où ailleurs.

La résistance des hommes et des institutions reste grande, mais je pense qu'on peut affirmer sans crainte de se tromper que c'est ici qu'elle tombe le plus facilement.

On peut s'en réjouir ou s'en désoler — pour ma part, je m'en réjouis grandement —, mais les femmes québécoises d'aujourd'hui ne ressemblent en rien à celles d'il y a 30 ans.

Je suis un homme et il y a des choses que je ne comprends pas, mais je comprends à tout le moins que les choses ne seront plus jamais comme avant et que s'il est un mouvement irréversible c'est bien celui-là.

Il leur manque encore le pouvoir, le vrai. Elles hésitent encore à le prendre tout en se berçant de l'illusion qu'elles peuvent le changer radicalement.

Je n'en crois rien mais il se peut que je me trompe. Mais il ne s'agit justement pas de savoir si les femmes exerceront le pouvoir mieux que les hommes mais de déterminer qu'elles en aient leur juste part.

Qu'elles l'exercent bien ou mal n'a rien à voir dans l'affaire. Les hommes l'exercent bien ou mal mais ils le possèdent.

Exiger des femmes qu'elles soient meilleures que les hommes relève de la pire des discriminations.

Je me souviens, il y a quelques années, quand on demandait aux Noirs américains d'être meilleurs que les Blancs, James Meredith avait répondu avec beaucoup d'éloquence et de vérité : « Les Noirs doivent, comme les Blancs, avoir le droit de rater un examen sans qu'on les traite d'inférieurs. Le droit à l'égalité, c'est aussi le droit à l'égalité dans l'échec. »

Si nous ne « permettons » le pouvoir aux femmes qu'à la condition qu'elles ne se trompent pas, qu'elles ne fassent jamais d'erreurs, c'est que nous leur refusons ce droit élémentaire.

Le pouvoir, pour les femmes comme pour les hommes, c'est le pouvoir tout court, indépendamment de la qualité de son exercice.

Oui, les femmes ont pris conscience de leur force. Il leur reste à s'en servir.

La langue

Je ne vais pas m'étendre longuement sur le sujet.

Les plus jeunes ne comprendront peut-être jamais dans quelles conditions nous vivions il y a 30 ans.

Qu'à cela ne tienne.

Nous savons, nous, que la situation était telle que le combat fut presque désespéré. Je me ris de nous voir nous affoler aujourd'hui devant quelques zigonneux de guitare qui persistent à vouloir chanter en anglais alors même que le marché qu'ils visent leur est complètement fermé.

Je ris parce que cela n'a pas beaucoup d'importance dans un contexte mille fois plus français qu'en 1960.

Nous savons les progrès accomplis en ce domaine. Nous savons que nous avons pris le dessus même s'il nous reste encore quelques balises solides à planter.

Nous savons que nous léguons à nos enfants un Québec plus français que celui que nous avons connu.

Nous pouvons en tirer quelque fierté.

La religion

Croyez-le ou non, nous avons fait une des plus grandes révolutions religieuses de tous les temps et cela, sans pendre un seul curé. Il fallait le faire. Nous l'avons fait.

Une des sociétés les plus religieuses du monde est devenue, en moins de 30 ans, l'une des plus areligieuses. Non pas que la religion eût été mise au ban de la société, elle est toujours là, présente dans tous les milieux, mais elle n'écrase plus les individus et la société comme elle le faisait autrefois et elle laisse à la liberté de conscience le droit de s'épanouir en dehors d'elle.

La pratique religieuse est tombée radicalement à travers tout le Québec. Le mariage civil et le divorce ont été institués en dehors de l'Église et ses diktats ne font plus trembler personne.

On peut être croyant, agnostique ou athée au Québec, aujourd'hui, de la façon la plus normale du monde et sans être pointé du doigt par personne.

Quand on pense à toutes les guerres de religions qui continuent d'ensanglanter le monde, quand on pense à toutes ces sociétés dites évoluées qui restent la proie de tous les intégrismes, on peut se réjouir d'en être arrivés là où nous sommes sans coup férir.

Hélas ! le « bon vieux temps » se perpétue encore dans nos écoles confessionnelles, qui n'ont pas encore réussi à échapper à l'intolérance hypocrite de Claude Ryan, à la résistance des Anglais qui se servent de la religion pour défendre des privilèges linguistiques, à l'étroitesse d'esprit de certains commissaires catholiques et aux exigences dépassées de la Constitution canadienne, mais on peut espérer qu'avec le temps...

Il n'en reste pas moins que peu de sociétés dans le monde permettent un tel épanouissement de la liberté de conscience.

En moins de 30 ans, nous avons réussi ce que d'autres ont mis des centaines d'années à réussir et que d'autres encore ne réussiront peut-être jamais.

Je serais tenté, si ce n'était trop nous vanter, de nous citer en exemple.

La culture

Désormais, on peut dire, sans crainte de se tromper, que la culture québécoise existe.

Cela n'était pas aussi évident en 1960. Nous avions des traditions, quelques oeuvres, un certain nombre d'habitudes un peu différentes de celles des autres, quelques traits de caractère distinctifs, Félix Leclerc, Maurice Richard, Gratien Gélinas et le cardinal Léger, mais la culture québécoise était loin d'avoir la vigueur qu'on lui connaît aujourd'hui.

Je me souviens que, dans les années cinquante, nous n'avions que l'envie de fuir cette terre inculte et stérile. Encore méfiants de ce qui pouvait nous venir du sud de la frontière, nous nous rabattions sur nos ancêtres, les Gaulois, sans trop nous préoccuper de nous recréer nous-mêmes, ici, en cette terre d'Amérique.

Nous jouions les autres, nous chantions les autres, nous lisions les autres, nous mangions comme les autres, nous regardions les autres en nous désolant.

Puis ce fut l'explosion. Loin de moi l'idée d'affirmer qu'il ne s'était rien fait avant les années soixante. On a beau ironiser sur Louis Fréchette ou sur la Bolduc, ou sur d'autres créateurs de valeur inégale, l'explosion n'aurait pas pu avoir lieu s'il n'y avait eu d'abord l'étincelle. Et le feu n'aurait pas pris s'il n'avait couvé longtemps sous la cendre.

Hommage à ceux et à celles qui ont entretenu le brasier pendant que nous nous appliquions à survivre.

Mais il faut plus que quelques créateurs et quelques gens cultivés pour faire une culture.

J'ai presque envie de dire : « Soudain, la culture a eu lieu. » Cela n'a pas de sens, évidemment, mais j'aime assez l'image pour ne pas hésiter à vous la servir.

L'explosion !

Il y a 30 ans, une sorte de rage s'est emparée du Québec, qui n'est pas près de disparaître car elle est encore plus évidente aujourd'hui.

La rage de créer, de se renvoyer à soi-même une image conforme, de s'identifier à quelque chose de connu et de proche, de s'inscrire dans sa propre réalité, d'habiter son pays, son climat, ses mœurs, ses envies, ses passions, ses espoirs. La rage de l'accouchement : accoucher un peuple dont la gestation semblait ne devoir jamais finir. L'accoucher de force puisqu'il s'était un peu trop habitué à regarder naître les autres sans se donner la peine de venir au monde.

La culture, c'est refaire le monde à son image et à sa ressemblance. C'est se prendre pour Dieu en espérant améliorer la misérable condition dans laquelle on nous a mis.

La tâche n'est pas mince et il faut être parfaitement inconscient pour l'entreprendre.

C'est ce que nous avons fait. Comme d'autres l'avaient fait avant nous et comme d'autres le feront après nous.

Tout comme les autres, il faudra y mettre quelques centaines d'années, mais il fallait quand même partir de quelque part, non ?

Une effervescence comme le Québec n'en avait peut-être jamais connue. Tous azimuts. Et en français par-dessus le marché, ce qui ne s'était à peu près pas vu depuis la conquête.

De la littérature, du cinéma, des chansons, du théâtre, de la danse, de la peinture, de la télévision, de la radio, de la musique, de la musique, de la musique.

Les jeunes d'aujourd'hui ont peine à s'imaginer ce qu'était le désert culturel des années cinquante au Québec. Nous ne chantions qu'en anglais de mauvaises tounes américaines ; nous ne consommions que le cinéma américain de la série B ; nous ignorions Riopelle et Borduas, et nous n'avions qu'une bien vague idée de ce qu'avaient été Michel-Ange ou les impressionnistes ; le théâtre ne nous servait que des auteurs français ou américains (sauf quelques rares exceptions), et nous ne dansions que des sets carrés ; nous écrivions des livres (très peu) qui n'étaient, au mieux, que de pauvres plagiats dont nous ignorions même qu'ils en fussent.

Nous n'étions pas très beaux à voir ou à entendre ou à lire ou à fréquenter.

On ne subit pas 200 ans de colonialisme sans connaître quelques avatars.

Et puis, nous avons subitement eu envie d'exister. Le désir farouche de dépasser la misérable survie. D'exister, c'est-à-dire de créer.

Il fallait le faire. Et nous l'avons fait.

Regardez-nous aujourd'hui. Comme vous le diront tous les observateurs, et malgré les mythes qui continuent de courir, il se passe beaucoup plus de choses à Montréal qu'il ne s'en passe à San Francisco.

D'abord greffées sur le mouvement québécois de libération, nos activités culturelles ont commencé à voler de leurs propres ailes. La révolution culturelle, la vraie, c'est nous qui l'avons faite, pas les Chinois.

Regardez-nous aujourd'hui. Pour ma part, je n'en reviens jamais de voir autant de créativité dans un si petit bassin de population. Nous semblons inépuisables et les relèves s'amènent les unes après les autres, toujours plus riches que les précédentes.

Tous ces créateurs nous renvoient notre propre image et nous aimons assez ce que nous voyons dans ce miroir. Nous commençons à nous reconnaître quelques qualités, et nos défauts ne nous semblent plus aussi intolérables qu'ils l'étaient autrefois.

Nous avons encore quelque mal à nous débarrasser de notre francophobie et de notre américanophilie maladives, mais cela vient. Plus nous sommes nous-mêmes et plus nous nous aimons, plus nous voyons les autres comme ils sont. Ni meilleurs ni pires que nous. Pareils. Dégueulasses et merveilleux !

La culture, c'est aussi interpréter le monde à sa façon au lieu de ne le voir que par les yeux des autres.

Nous ne sommes qu'un pygmée culturel dans le vaste espace des civilisations, mais nous savons maintenant que la Grèce n'a pas commencé autrement.

─────────── *Les médias* ───────────

On a l'habitude de dire que la télévision a exercé sur la société québécoise une influence considérable et, de toute évidence, on n'a pas tort de l'affirmer.

Mais ce n'est pas tout.

Où peut-on trouver, dans le monde, une société de la taille de la nôtre qui se soit donné des médias du nombre et de la taille des nôtres ? À vrai dire, il faudrait inclure dans ce constat des sociétés bien plus importantes que la nôtre.

En ce domaine, nous sommes peut-être, *per capita*, les mieux nantis du monde. Quant à la qualité, qui n'est pas toujours aussi grande que nous le souhaiterions, elle se compare avantageusement tout de même à celle qu'on trouve dans la plupart des pays.

Lors d'un voyage en Israël, je déplorais la faiblesse des médias électroniques. La presse et l'édition y sont bien vivantes, mais la radio et la télévision font figure de parents pauvres auprès des nôtres. En y réfléchissant bien, je me disais qu'Israël pourrait bien gagner toutes les guerres mais qu'il pourrait peut-être perdre celle des communications, ce qui en ferait une proie facile pour tous les phénomènes d'acculturation qui hantent le monde aujourd'hui.

Bien sûr, la situation particulière des Israéliens ne les aide en rien à résoudre ce problème.

Mais il n'en reste pas moins vrai que les petites sociétés, plus que les grandes, ne pourront survivre si elles ne donnent pas la priorité aux moyens de communication de masse.

C'est ce que nous avons fait depuis 30 ans, et je m'en réjouis fort.

Au Québec, dans l'état actuel des choses, nous sommes moins menacés par l'invasion des armées que par la pénétration massive des cultures étrangères, notamment la culture américaine.

Qu'on me comprenne bien. Je ne crois pas qu'il faille ériger des barrières autour du pays pour tenter d'écarter toute influence extérieure. Bien au contraire, je crois que la plupart de ces influences nous sont bénéfiques, à la condition expresse que nous puissions les digérer et les assimiler.

Pour ce faire, il n'y a qu'une solution : créer.

D'abord, la quantité. Face à une concurrence extrêmement musclée, nous ne pouvons pas nous contenter de quelques instruments de communication qui nous permettraient tout au plus de surnager dans le déferlement des éléments ravageurs. Il faut produire, produire encore et toujours.

Quatre réseaux de télévision de langue française, deux réseaux de langue anglaise. Des douzaines de stations de radio qui couvrent tout le territoire. Plusieurs quotidiens, plusieurs hebdos, des magazines en nombre croissant et une presse spécialisée pléthorique.

La seule façon de ne pas être inondés par les Américains, c'est d'occuper tout notre territoire, de diffuser sur toutes les bandes, d'envahir les kiosques à journaux.

Nous l'avons bien compris. L'effort semble démesuré et hors de proportion compte tenu de notre faible bassin de population. Mais nous n'avons pas le choix. Ou nous occupons ou nous sommes occupés.

Et puis, il a fallu s'occuper du contenu. Il nous fallait un contenu québécois de langue française. Impossible de compter sur la production audio-visuelle ou écrite française. Pour toutes sortes de raisons, elle nous était inaccessible ou impertinente. Les Américains ? Bien sûr, nous aurions pu tout traduire, mais c'eut été faire entrer le cheval de Troie en nos murs par la porte arrière.

Une seule solution : produire chez nous un contenu original.

Des centaines, des milliers de créateurs de toutes sortes se sont attelés à la tâche et ont envahi le marché avec le succès qu'on sait. Contrairement à ce qui se passe au Canada anglais, où on regarde et où on écoute et où on lit des contenus majoritairement américains, nous ingérons le contenu québécois à fortes doses et nous en redemandons.

Du meilleur et du pire. Qu'importe, les autres aussi produisent le meilleur et le pire. Ici, le pire est en français, comme le meilleur. Il y en a donc pour tous les goûts.

Nous avons évité le piège de ne vouloir produire que de la grande qualité à petites doses. Si nous l'avions fait, la plupart des gens se seraient tournés vers les Américains.

Donc, contrairement à ce qu'on aurait pu craindre, les médias de masse, loin de nous américaniser, nous ont fortement ancrés dans la réalité québécoise.

D'où l'on voit que la barrière de la langue n'a pas que des inconvénients.

C'est grâce à la force de nos médias que nous n'avons pas à craindre les influences étrangères. Elles sont omniprésentes autour de nous et nous les consommons avec avidité, mais après les avoir filtrées, après les avoir refaçonnées à notre image, après les avoir métissées à nos propres créations. C'est la force que nous avons de les « recréer » qui les rend enrichissantes.

Confrontés quotidiennement à ce qui se fait de meilleur dans le monde, nous avons relevé le défi d'être à la hauteur. En quantité comme en qualité, nous avons réussi là une belle affaire.

C'est pourquoi les nouvelles technologies ne m'effraient pas outre mesure. Face à elles, il nous suffit de renouveler l'expérience qui nous a si bien réussi jusqu'ici.

Tout cela n'était pas évident au début des années soixante. Il était loin d'être certain que nous aurions les moyens matériels et l'esprit nécessaires pour conquérir ce domaine névralgique. Nous l'avons fait, presque sans nous en apercevoir.

Il n'est pas inutile de le souligner.

Les mœurs

Nous habitons la société la plus tolérante du monde. Vantardise ? Soit, mais allez voir ailleurs... juste pour voir.

Ce n'était pas le cas il y a 30 ans.

L'observateur étranger qui revient chez nous après 30 ans d'absence reconnaît sans peine qu'il vient de débarquer sur la Lune.

Il avait quitté une société féodale où tout, ou à peu près, était interdit, et il se retrouve dans une société si libre qu'on la croirait parfois portée à la licence.

Je dis que la société québécoise, malgré ses ratés, malgré ses moments successifs d'exaltation et de déprime, malgré son esprit souvent brouillon et malgré sa reddition trop facile aux phénomènes de mode, est la société la plus agréable à vivre qui soit.

J'ai l'habitude de dire que nous sommes plus italiens que français. À nous regarder faire, on se demande parfois comment il se fait que ça marche. Et pourtant, ça marche...

On a parlé d'une société molle. Marshall McLuhan, de son côté, a parlé de la première société hippie du monde.

Ce sont des images, bien sûr, mais je ne crois pas qu'elles soient tout à fait coupées de la réalité.

Notre société est tolérante, parfois jusqu'à la bêtise.

Mais je préfère quand même notre excès de tolérance à l'intolérance meurtrière de la plupart des sociétés de la planète.

À y regarder de près, même le climat, dont on dit pourtant qu'il est horrible, est plus tolérant que bien d'autres dont on dit qu'ils sont merveilleux.

La neige et le froid ? Nous sommes équipés pour...

Les grandes catastrophes climatiques nous sont à peu près inconnues. Les ouragans, les tornades, les tremblements de terre, les inondations, les sécheresses, qui font des ravages presque partout dans le monde, nous sont, la plupart du temps, épargnés.

Ce n'est pas la Côte d'Azur, j'en conviens, mais ce n'est pas non plus le Sahel de la sécheresse ou l'Arménie aux 20 tremblements de terre par année ou ces îles où on n'en finit plus de se remettre du dernier ouragan.

Il y a l'hiver, bien sûr. Trop long, bien sûr. Mais aurions-nous inventé la motoneige ailleurs et connaît-on ailleurs printemps plus éclatant ?

Tolérant, notre climat, vous dis-je.

J'en reviens à nos mœurs.

Il fallait bien peu de choses pour être pointé du doigt il y a 30 ans. Tout était motif à exclusion, à réprobation, à condamnation.

Chez nous, aujourd'hui, il faut être assoiffé de scandale ou de publicité pour se faire remarquer.

Souvenez-vous, il y a 30 ans : les homosexuels, les athées, les divorcés, les jeunes, les artistes, les femmes, les couples non mariés, les danseuses et les danseurs nus, les pauvres, les Italiens ou les Juifs, les esprits libres, les paysans qu'on appelait colons, les intellectuels, les filles-mères et les orphelins, les qui-ne-s'habillaient-pas-comme-tout-le-monde, les qui-n'allaient-pas-à-la-messe-le-dimanche, les malades mentaux, les infirmes, les déviants de toutes sortes, les démocrates, les marginaux, les alcooliques, les curés défroqués, les vieilles filles, les, les, les...

Il y a maintenant de la place pour tout le monde. Non pas que la place soit toujours aussi vaste et aussi chaude qu'elle devrait l'être, mais il y a pour tout le monde un petit coin quelque part, du moins dans le cœur et l'esprit de la plupart des gens.

On juge avec moins de rigueur, on accepte avec plus de patience, on consent à regarder de plus près, on se morfond moins du plaisir des autres, on exclut moins, on se répand moins en anathèmes de toutes sortes, on consent à un peu plus de tendresse.

Nous ne sommes pas une société puissante et dangereuse pour les autres, et cela nous interdit de jouer les matamores.

Nous ne sommes pas une société de grande culture, et cela nous interdit de mépriser les autres.

Nous ne sommes pas une société de grande rigueur, et cela nous interdit de nous prendre trop au sérieux.

Nous n'avons pas que des vertus, mais nos défauts ne ravagent pas la planète.

Notre société n'est pas violente. Il y a de la violence chez nous, mais elle est minime si on la compare à celle de la plupart des sociétés du monde.

Nous avons tant mis l'accent sur nos défauts, sur nos imperfections et sur nos limites — je l'ai fait moi-même plus souvent qu'à mon tour —, que nous percevons mal le bonheur que nous avons de vivre ici.

Au fond, nous vivons dans la ouate et c'est en allant vivre ailleurs, n'importe où ailleurs, que nous pouvons le mieux sentir la qualité de vie qui est la nôtre.

Il n'en était pas ainsi il y a 30 ans.

Il fallait le faire et nous l'avons fait.

L'agriculture

Au temps où une grande partie de la population du Québec habitait encore les campagnes, Maurice Duplessis s'appuyait pesamment sur les agriculteurs pour gagner ses élections. Il s'était fabriqué une carte électorale qui lui donnait tous les avantages et il s'occupait des circonscriptions rurales beaucoup plus qu'il ne le faisait des circonscriptions urbaines qui ne manquaient pas, parfois, de lui faire la vie dure.

Nous en étions à l'époque de la ferme familiale qui n'entrait pas en concurrence avec les grandes fermes industrialisées du Sud.

M. Duplessis régnait par le patronage et nombre de routes rurales n'ont existé que de ce fait. Quoi qu'il en soit, c'est sous sa gouverne que le Québec se couvrit d'un réseau routier secondaire remarquable. Et malgré tout ce qu'on peut lui reprocher, c'est encore lui qui poussa à fond l'électrification rurale qui ne manqua pas de transformer en profondeur la ferme tradition-nelle.

Mais, en 1960, le secteur agricole s'essouf-flait, comme la plupart des secteurs traditionnels du Québec.

Il fallait passer de la ferme familiale à la ferme industrielle et surtout il fallait comprendre que l'agriculture québécoise devenait un secteur industriel au même titre que les autres.

Depuis 30 ans, on a vu diminuer dramati-quement le nombre des agriculteurs, de même que le nombre de fermes individuelles qui se transmettaient de père en fils.

Sous presque tous les gouvernements, l'agri-culture devint une priorité et elle le reste encore aujourd'hui.

On a mis sur pied les grandes coopératives d'achat et de distribution, on a inventé des poli-tiques propres à protéger les agriculteurs des cataclysmes naturels et des fluctuations intem-pestives des marchés, on a recyclé des terres, on a diversifié les cultures et on a visé l'autosuffisance dans tous les domaines où il nous était possible de le faire.

On a surtout enfin établi un zonage agricole qui permet de protéger les terres arables contre la spéculation des entrepreneurs peu scrupuleux et des municipalités gourmandes.

Ce n'est pas parce qu'on remet aujourd'hui en question bon nombre de ces acquis qu'il faut minimiser l'impact que ces politiques ont eu en ce domaine.

L'agriculture québécoise est résolument moderne et elle s'apprête à prendre les grands virages qui doivent la maintenir en cet état.

Les organisations agricoles sont puissantes, elles se donnent des politiques dynamiques et elles forcent tous les gouvernements à tenir compte de leurs intérêts.

Comment ne pas souligner les efforts remarquables des agricultrices qui ont réussi, depuis quelques années, à se faire reconnaître un statut normal d'égalité et de responsabilité tout en investissant un domaine où elles avaient été jusqu'alors réduites à des tâches de main-d'œuvre à bon marché ?

En ce domaine, comme en tant d'autres, le rattrapage a été fait et les citadins, qui n'ont peut-être jamais vu une vache de leur vie, en tirent, sans même s'en apercevoir, des bénéfices considérables.

Il fallait le faire et cela fut fait.

La fonction publique

Maurice Duplessis n'avait pas de fonctionnaires, ou si peu. Il avait des sbires et des serfs qui mangeaient dans sa main et qui n'avaient de l'État qu'une bien vague idée.

C'est à M. Jean Lesage que revient le mérite d'avoir dépolitisé la fonction publique et de lui avoir donné un statut professionnel jusqu'alors inconnu.

On a beaucoup recruté durant les années soixante et soixante-dix. Il y a bien eu quelques nominations partisanes, j'en conviens, mais en général on peut affirmer que la compétence a, la plupart du temps, prévalu dans l'embauche.

On se plaint beaucoup des fonctionnaires, et parfois non sans raison, mais on sait mal la générosité du plus grand nombre et l'esprit d'indépendance de la plupart.

La machine est trop grosse, on l'admet facilement, les goulots d'étranglement sont nombreux et les politiques des gouvernements successifs freinent souvent les enthousiasmes les plus désintéressés.

Il n'en reste pas moins que la fonction publique du Québec, quand on la compare à ce qui se fait dans le monde, est devenue un instrument de gestion et d'entreprise remarquable.

Les fonctions de l'État se sont multipliées, depuis 30 ans. Aussi fallait-il que les employés de l'État ne fussent pas que de simples exécutants à la solde de quelque ministre véreux.

Il fallait qu'ils découvrissent le sens de l'État et il fallait qu'ils comprissent que celui-ci ne peut pas être un employeur comme les autres.

Nous avons eu la chance d'avoir des premiers ministres qui avaient le sens de l'État. Aussi bien Jean Lesage que Daniel Johnson, que Robert Bourassa, que René Lévesque, avaient compris la vraie nature de l'État et ils ont fait tous les efforts nécessaires pour que les employés de la fonction publique acquièrent leur indépendance face aux partis politiques, une sécurité qui les mettait à l'abri des tentations, et la passion du service rendu à la collectivité.

La passion est aujourd'hui moins ardente parce que l'absence de grands projets a passablement émoussé l'imagination des fonctionnaires, mais la machine reste à peu près intacte et il faudrait bien peu de choses pour lui insuffler à nouveau le goût des grands défis.

Les gouvernements passent, la fonction publique reste. Dans les pays où la fonction publique n'est que le bras vengeur ou maquignonneur du pouvoir, tout est à recommencer chaque fois qu'un nouveau pouvoir s'installe, le plus souvent par la force.

Mais c'est sans crainte que, chez nous, on voit un parti succéder à un autre, parce qu'on sait que, d'une part, les grands commis de l'État instruiront les nouveaux ministres et députés et que, d'autre part, les fonctionnaires continueront de faire tourner la machine.

On sait que les services ne seront pas inter-
rompus et on sait surtout, depuis que cela se fait
ainsi, qu'on n'a pas besoin d'être du parti au
pouvoir pour avoir droit aux services de l'État.

Les grandes institutions publiques du Québec
doivent leur création à l'imagination et à l'enthousiasme des fonctionnaires québécois. Elles ne
subsistent et ne prospèrent que par leur compétence.

Hélas ! ils ne sont au service que d'un État
provincial, informe. On peut imaginer de quoi ils
seraient capables si on leur donnait enfin un État
complet à gérer.

Je m'inquiète moins du passage à l'indépendance depuis que je sais qu'il se fera en s'appuyant
sur la force et sur le sens de la continuité de la
fonction publique québécoise.

J'aurais pu allonger considérablement la liste
de nos réussites. J'aurais pu parler de la création
des grands instruments économiques publics que
nous nous sommes donnés au moment où toute
l'économie nous échappait encore : Caisse de
dépôts et de placements, Société générale de
financement (SGF), Société de développement
industriel (SDI), Hydro-Québec et j'en passe.

J'aurais pu parler de l'établissement de ce
système de santé qui ne laisse plus mourir les
pauvres dans leurs taudis.

J'aurais dû faire un chapitre sur les progrès de la démocratie, pas seulement dans les institutions mais au cœur même de la conscience populaire.

Évidemment, j'aurais pu...

Mais aurais-je convaincu davantage ?

J'en doute car je pense que cette addition est un peu vaine si on ne sent pas en soi-même les profits immenses sur le plan personnel que nous a apportés cette immense révolution.

Elle est considérable, en effet, cette révolution qui n'a fait la une des journaux nulle part dans le monde mais qui a changé profondément cette petite partie du monde que nous habitons sans faire de mal à personne.

Quelques incidents malheureux, quelques frustrations, quelques déceptions : presque rien en regard de l'immense vague qui nous a mis au monde pour de bon.

Troisième partie

L'HISTOIRE
À FAIRE

La vision que je viens de donner de notre situation est trop rose pour être rigoureusement exacte. J'ai voulu simplement montrer le chemin parcouru sans m'appesantir sur nos bêtises les plus flagrantes, sur nos retournements soudains, sur notre manque de rigueur en toutes choses, sur nos égoïstes corporatistes, sur notre indolence manifeste.

J'aurais pu noircir le tableau à l'envi tant il est vrai que le vice nous sied aussi bien que la vertu et que nos erreurs nous ont coûté bien plus cher que nos réussites.

C'est volontairement que j'ai montré le beau côté des choses, d'abord pour nous rappeler que nous ne sommes pas congénitalement inaptes ou impuissants, puis pour nous inciter à faire mieux encore.

Il y a un grand danger à se péter les bretelles comme je viens de le faire et à comparer notre situation à celle des autres de par le monde. On peut en effet se servir de cette merveilleuse justification pour s'asseoir sur son cul et pour ne plus rien faire.

À tous ceux qui voudraient changer quelque chose, on n'aurait plus alors qu'à répondre que c'est bien pire ailleurs et qu'on devrait plutôt remercier le ciel de ses bienfaits.

C'est le danger de l'immobilisme et du prétexte.

Pour moi, c'est une question d'équilibre. À trop noircir les choses, on tombe facilement dans le discours hystérique que nie les faits les plus évidents et qui propose des solutions magiques à partir de fausses prémisses.

Il est donc important de nous situer à la fois dans un contexte historique et dans un contexte planétaire.

Mais il est aussi important, de temps en temps, de ne nous comparer qu'à nous-mêmes pour constater les failles, les retards, les erreurs et, de là, pour inventer des programmes et des solutions qui visent à les corriger et à les combler.

Autrement dit, nous sommes bien mais nous pourrions être mieux. Nous sommes riches mais trop de gens parmi nous ne le sont pas. Nous sommes libres mais nous pourrions augmenter notre mesure de liberté.

Nous avons changé pour le mieux le monde dans lequel nous étions, c'est vrai et c'est ce que je crois profondément. Il nous reste à changer le monde dans lequel nous sommes maintenant.

C'est l'histoire à faire.

Définir des objectifs, des priorités.

Je ne crois pas qu'on puisse tout faire à la fois. Je crois qu'on peut tout faire et tout avoir mais pas en même temps.

C'est pourquoi les priorités sont importantes.

Il y a longtemps, bien longtemps, que nous n'avons pas fait l'exercice d'établir des priorités. Nous nous agitons dans toutes les directions et nous nous désespérons de ne jamais atteindre aucun objectif. C'est ce qui nous donne l'impression d'avoir constamment à tout recommencer.

J'ai donc voulu proposer quelques-unes des priorités que devrait se donner notre société. Des priorités absolues, des objectifs incontournables.

On verra qu'il n'y en a pas beaucoup. J'ai tenté de m'en tenir à l'essentiel.

Malgré tout, on verra que le programme est ambitieux.

Les priorités que je propose devraient être celles de tout le peuple québécois, du moins le sont-elles dans mon esprit. À défaut, elles devraient être celles de tous les indépendantistes qui, au lieu de se chicaner sur des virgules, pourraient y voir l'épine dorsale d'un vrai programme de gouvernement.

Si je m'étends davantage sur les priorités que sont l'indépendance et la langue, c'est qu'elles sont la condition même de l'existence de notre peuple.

On remarquera que c'est quand même à la lutte contre la pauvreté que j'accorde la première place.

Je ne dis pas qu'il n'y a rien à faire en dehors de ces priorités. Je dis tout simplement que les priorités, de par leur définition même, doivent passer en premier lieu alors qu'on peut se permettre, sans grand risque, de bavarder sur tout le reste pendant un certain temps.

LA MORALE

Si le moral est si bas, c'est peut-être que la morale fout le camp.

En effet, il est difficile de vivre en société quand les paramètres y sont plus flous les uns que les autres, quand la licence prend le pas sur la liberté, quand l'individu n'a de comptes à rendre qu'à lui-même.

Notre société a connu des morales si étriquées et si restrictives que nous avons d'un coup brisé toutes les entraves pour ne plus nous reconnaître que des droits absolus et indépendants de toute contrainte.

Loin de moi l'idée de nous ramener aux pratiques d'antan. Le mal qu'elles nous ont fait est irréparable. Je me méfie comme de la peste également de ce qu'on appelle la morale naturelle et qui n'est rien d'autre qu'une caricature de l'esprit humain imposée à une nature qui pourrait bien s'en passer.

La morale n'est pas naturelle, elle est acquise et elle n'a d'utilité que dans la mesure où elle nous aide à mieux vivre avec nous-mêmes et avec les autres. L'imposer est immoral. Il faut se la donner pour qu'elle ait quelque valeur.

Si j'en parle aujourd'hui, c'est que je souffre, comme beaucoup d'autres, de l'absence de morale dans notre société. C'est aussi à cause d'une injustice : ceux et celles qui ont accepté de vivre moralement (et il en reste) sont constamment floués par les tricheurs et les exploiteurs. Ils sont les dindons de la farce et ils paient pendant toute leur vie ce dont les autres jouissent gratuitement et en toute impunité.

J'en parle parce que je sens que rien ne sera plus possible et que la vie en société deviendra infernale si nous n'acceptons pas de nous donner, ensemble, des règles de conduite qui nous rendront la vie plus vivable.

Mais de quelle morale parlons-nous au juste ?

Pour ma part, j'en suis venu à une définition très simple qui permet de couvrir l'ensemble de nos comportements sans référer aux anciennes coutumes ou à toutes ces bibles qu'on prend à tort pour des parangons de moralité.

Ma morale est indivisible : il n'y a pas d'un côté la morale sexuelle, puis la morale religieuse, puis la morale naturelle, puis la morale socialiste ou capitaliste, puis la morale de tel ou tel groupe, puis la morale de la vie quotidienne ou de la vie en prison.

Voici ma définition :

L'EXPLOITATION EST IMMORALE. EST MORAL TOUT CE QUI NE RELÈVE PAS DE L'EXPLOITATION.

Voilà. C'est tout.

À partir de là, pour juger de la moralité ou de l'immoralité d'un geste ou d'un comportement, on n'a qu'à se poser la question : « Y a-t-il exploitation ? »

Cela vaut dans toutes les circonstances et pour toutes les actions.

Voici quelques exemples :

La prostitution, selon moi, n'est pas immorale si aucune des deux parties n'exploite l'autre. Le consentement doit donc être libre de part et d'autre. Par contre, le souteneur qui exploite le travail d'une prostituée, la plupart du temps contre son gré, pose un geste immoral.

Le médecin qui fait un acte médical et qui est payé pour ce faire à ce qui a les apparences d'un juste prix ne fait pas un geste immoral, mais celui qui multiplie les actes médicaux inutilement est immoral dans la mesure où il exploite les failles d'un système financé par l'ensemble de la population.

L'employé malade qui se sert de ses congés de maladie reste dans les limites de la moralité. Mais celui qui s'en va aux sports d'hiver pendant une semaine et qui revient avec un « billet du médecin » pour justifier sa « maladie » et profiter de ses congés payés triche sur les provisions de son contrat et, partant, fait un geste immoral.

La pétrolière qui vend son essence à un juste prix (allez donc savoir lequel !) a quelque chance de se retrouver à l'intérieur des limites de la moralité. Mais quand toutes les pétrolières, à l'approche des vacances et dans la certitude d'augmenter sans raison leurs profits, font grimper le prix de l'essence, elles exploitent une situation dans laquelle le consommateur se retrouve sans défense et, partant, elles font un geste immoral.

Cette morale est simple mais beaucoup plus rigoureuse qu'il n'y paraît.

Bien sûr, il existe nombre de cas limites où il est difficile de distinguer le degré d'exploitation qui sous-tend telle ou telle pratique. Mais, dans la plupart des cas, il est relativement facile de répondre à la question « Y a-t-il exploitation ? », à la condition de ne pas tricher.

Je prétends que notre société se porterait mieux si elle se posait constamment la question morale.

Si, par exemple, nous arrêtions de tricher. Nous avons conclu, il y a déjà un bon moment, qu'il est difficile de se battre et de gagner la partie.

En conséquence, comme c'est plus facile de tricher et qu'ainsi nous gagnons plus souvent, nous trichons.

Nous trichons avec le gouvernement et nous pratiquons l'évasion fiscale, inconscients du fait que nous nous trichons nous-mêmes. Nous trichons avec l'assurance-chômage et avec le Bien-être social — encore que la tricherie des pauvres et des petits me scandalise pas mal moins que celle des riches qui trichent leurs employés, qui trichent l'État, qui se trichent entre eux et qui s'octroient des privilèges insensés qui trichent tout le monde.

Nous trichons sur les congés de maladie. Ils étaient faits pour les gens malades, ils sont devenus, pour tous ceux qui y ont droit, des vacances payées. On a même vu des gens prendre leur retraite deux ans avant terme parce qu'ils avaient accumulé deux années de congés de maladie. Aucune société ne peut se payer pareils abus. C'est se rire de cette nécessaire mesure sociale en la détournant de ses fins. C'est aussi commettre une grave injustice envers ceux et celles qui sont malades et qui n'ont pas droit aux congés de maladie.

Nous trichons au travail. Nous trichons avec les chiffres en les adaptant à nos besoins ou à nos discours partisans.

Nous trichons avec nos soi-disant valeurs en refusant le débat avec la partie adverse pour nous assurer de ne pas avoir à revenir sur nos positions.

Nous trichons en nous assoyant fermement sur des acquis et des privilèges corporatistes bâtis sur l'exploitation des plus démunis.

Ben Johnson a triché. Est-ce immoral ?

Oui. Il n'est pas immoral de prendre des stéroïdes anabolisants. Ce n'est même pas illégal. Ce qui est immoral, c'est d'en prendre pour battre quelqu'un qui n'en prend pas ou qui n'a pas trouvé la bonne formule.

Les « règles du jeu », lorsqu'elles sont acceptées par tous, sont des contraintes morales car elles visent à donner la même chance à tout le monde, dans toute la mesure du possible.

Et les valeurs, alors ? Quelles valeurs ?

Les valeurs ne sont rien d'autre que la morale appliquée.

« Nous sommes en crise de valeurs », nous dit-on.

C'est que nous nous sommes donné des valeurs qui font abstraction de la morale.

La course à l'argent. La fuite en avant des savants et des hommes d'affaires. La consommation à n'importe quel prix. L'exploitation éhontée de la nature pour des profits inavouables, aussi bien par les corporations que par les individus.

L'exploitation des enfants abandonnés à leur sort, à seule fin de poursuivre avec plus d'ardeur son profit personnel. Les familles en déroute. La folie du tourisme international qui exploite les populations les plus démunies et qui massacre à jamais les sites les plus beaux.

L'automobile. L'automobile. L'automobile.

Les valeurs ! Quelles valeurs ?

La morale n'est pas un luxe. Elle est de première nécessité.

Nous sommes arrivés à la civilisation grâce à une vaste opération de police. Pour éviter de retomber dans la barbarie, nous avons le choix : ou bien nous renforçons jusqu'à l'extrême notre système policier ou bien nous nous donnons une société morale. La société morale se police d'elle-même. C'est celle que je nous souhaite. Mais je ne me fais pas trop d'illusions.

Notre société, qui a fait un jeu de la poursuite policière, sera sans doute tentée, avant de revenir à de meilleurs sentiments, de se donner tous les attributs d'un État policier.

Hélas ! trop de gens croient encore que la morale est plus contraignante que la police.

Nous paierons cher notre absence de morale.

Comme je crois que nous n'en avons pas les moyens, je fais de l'accession à la société morale la priorité des priorités.

LA POLITIQUE

Ce n'est pas vrai que la politique est sale. En tout cas, elle n'est pas plus sale que les autres entreprises humaines.

Ce n'est pas vrai que tous nos politiciens ne sont là que pour se graisser la patte et ne servir que leurs vils intérêts.

Ce n'est pas vrai que les politiciens ne pensent qu'à leur bien-être et jamais au bien-être de la population.

Mais il est vrai qu'un petit nombre de politiciens sont des salauds et que d'autres sont d'une incompétence crasse. On peut dire la même chose des médecins, des avocats et des plombiers.

Mais il est vrai que la politique est le métier le plus difficile du monde et qu'on n'exige aucune formation pour le pratiquer.

Il est vrai également que c'est un métier qui se pratique dans la fosse aux lions et que, par conséquent, il faut parfois jouer dur pour éviter d'être dévoré.

La politique québécoise, depuis 30 ans, n'est pas sale. Tous les gouvernements ont eu leur part de petits scandales mais, dans l'ensemble, je crois que nous avons été gouvernés aussi proprement que possible.

Pourtant, nous continuons d'affirmer le contraire. Nous continuons de mépriser autant que faire se peut tout ce qui est politique, attribuant aux seuls politiciens tous les torts dont nous devrions nous accuser nous-mêmes.

Il est donc impérieux de reconnaître à la politique sa noblesse et son rang (le premier) en nous imposant à nous-mêmes les responsabilités qui sont les nôtres à son endroit.

Or, si la politique doit reprendre le premier rang dans notre esprit, il faudra bien que les politiciens fassent d'abord leur part.

M. Bourassa est un homme honnête, mais tant qu'il gouvernera l'oreille collée sur les sondages, on aura raison de croire qu'il vide la politique de son essence même. Cela vaut aujourd'hui pour la plupart de nos hommes et femmes politiques.

Revaloriser la politique, c'est d'abord revaloriser le projet politique.

Les humeurs changeantes d'un électorat et le gouvernement Polaroid (qui jaunit vite) n'ont rien à voir avec LA GOUVERNE SÉRIEUSE D'UN PAYS.

La démocratie n'impose pas aux politiques de faire tout ce que le peuple veut n'importe quand n'importe comment.

Elle impose plutôt à ceux et celles qui se sont donné la « mission » de gouverner les autres de leur proposer des objectifs, de les convaincre de la pertinence de ceux-ci et de mettre en œuvre les projets qui en découlent. Il revient aux électeurs et aux électrices de choisir entre les divers objectifs qu'on leur propose mais, si on ne leur propose rien, on ne peut pas se surprendre de les voir se désintéresser de la chose politique.

Les sondages ne sont ni bons ni mauvais en soi, mais ils rendent lâches nos hommes et femmes politiques. Ils leur évitent d'avoir à apprendre leurs leçons et d'avoir à faire leurs devoirs. Ils leur évitent d'avoir à recourir à leur imagination. Ils leur évitent de penser à long terme et ils leur permettent de soigner temporairement les symptômes en continuant d'ignorer les causes.

Ils leur évitent surtout d'avoir à définir l'essentiel et le nécessaire et ils leur donnent l'occasion de céder à tous les caprices et à toutes les pressions intempestives, sans égard pour le bien-être réel des populations.

C'est la politique *self-service*. Allez ! il y en a pour tout le monde, prenez ce que vous voulez !

C'est pourquoi les gens ont oublié de faire de la politique. Ils ne font plus que du magasinage dans le grand magasin de l'État.

Il faut aussi que les politiques redeviennent des hommes et des femmes libres et qu'ils mettent à la porte au plus tôt tous leurs « conseillers spéciaux » qui prétendent les vendre comme on vend du savon.

Je le dis tout net : ces conseillers spéciaux sont des imposteurs.

Voyez-les s'agiter autour de leur candidat. Ils ont tous la même attitude. Ils ont tous fréquenté la même école de *marketing* où on leur a appris les quelques recettes élémentaires de la publicité. Ils imaginent tous les mêmes stratégies. Ils vendent tous leur candidat de la même façon.

Autrement dit, ils peuvent dire et faire n'importe quoi, au bout du compte leur candidat va gagner ou perdre. S'il gagne, on dit que le conseiller spécial avait la bonne recette. S'il perd, on ne dit rien parce qu'on a utilisé pour lui exactement la même recette que pour le gagnant.

Je ne comprends pas que des gens responsables, qui aspirent aux plus hautes fonctions, puissent se laisser manipuler de la sorte par des gens qui prétendent savoir comment faire.

Si les politiques ne savent pas comment faire, il faut leur répéter que ça s'apprend et que, s'ils l'apprenaient par eux-mêmes, ils deviendraient enfin compétents tout en restant libres.

Mais nous sommes en grande partie responsables de ce qui se passe « là-haut » et il est également impérieux pour nous que nous changions nos comportements.

Par exemple, nous savons, depuis que nos géants du *marketing* nous l'ont dit, que la recette magique pour être élu à la suite d'une campagne électorale, c'est d'en dire le moins possible et même, si possible, de ne rien dire du tout.

Presque tous nos politiciens sont tombés dans ce piège : ils ne disent plus rien. Le problème, par ailleurs, c'est que cette même attitude vaut à certains d'être élus et à d'autres d'être battus !

Allez donc savoir !

Tant que nous ferons croire aux gagnants que la recette fonctionne, ils continueront tous, gagnants comme perdants, à nous la servir.

Nous nous méfions des gens qui disent quelque chose parce que nous craignons qu'ils disent le contraire de ce que nous aimerions entendre.

Nous craignons les discussions et les débats parce que nous avons peur de la « chicane ».

Nous votons les yeux fermés et les oreilles bouchées pour ne pas avoir à choisir, à trancher, à prendre nos responsabilités.

Nous marchons si bien dans le jeu du *marketing* que nous contribuons à faire de ceux qui nous courtisent de parfaits insignifiants qui n'en ont pas moins leur petite idée derrière la tête pour... après les élections.

Nous nous flouons nous-mêmes.

Nous devons être fort sévères envers ceux qui ont le culot de nous dire quoi penser et que faire.

Les électeurs et les électrices ont aussi des responsabilités, la première étant d'exiger qu'on leur fasse de vraies propositions, et la seconde étant d'en débattre avant de choisir.

La revalorisation de la politique passe par la revalorisation du débat politique.

Depuis une quinzaine d'années, nous avons éludé à peu près tous les débats, ce qui ne nous a pas empêchés de nous diviser en camps retranchés « pour » ou « contre » quelque chose.

Les politiques écoutent. Si les « pour » crient plus fort, ils légifèrent en ce sens, et *vice versa*.

Mais il n'y a pas de débat.

Il est si difficile de répondre aux nouvelles questions qui se posent à nous que nous préférons n'en pas débattre de peur d'avoir à changer d'idée.

Les grands débats : l'environnement, les technologies de pointe, la famille, la dénatalité, l'avortement, le marché du travail, le libre-échange, la misère dans le monde, notre réseau de santé, l'éducation, etc.

Pas de débat. Des positions tranchées, la plupart du temps corporatistes et immuables. Des adversaires de chaque côté de la barricade, mais pas de débat.

Bien sûr, les médias sont coupables, qui préfèrent les monologues contradictoires au détriment du dialogue, mais puisque nous évitons nous-mêmes, entre nous, de débattre les sujets chauds, je me demande bien pourquoi les médias devraient le faire à notre place.

Revaloriser la politique, c'est définir entre nous ce qui est essentiel et nécessaire, et c'est confier à nos gouvernements l'obligation de nous donner et de gérer l'essentiel et le nécessaire.

La politique n'est pas l'art du possible, comme on nous le laisse entendre depuis toujours en laissant ainsi ouvertes toutes les portes de sortie utiles à des gouvernants qui ne veulent pas gouverner.

Non, la politique n'est pas l'art du possible. Elle est l'art de rendre possible ce qui est nécessaire.

LA LUTTE À LA PAUVRETÉ

La course à l'argent que nous connaissons dans nos sociétés me fait vomir. Nous sommes insatiables et, alors même que tous nos besoins sont comblés, nous nous débattons comme des diables dans l'eau bénite pour en acquérir toujours plus.

Cette course à l'argent est le fait de gens qui sont déjà suffisamment riches pour ne pas avoir à se soucier du lendemain.

Les pauvres, hélas ! n'ont pas le même loisir. Ils sont dans une misère tragique qui rend toute aspiration stérile et tout espoir vain.

J'en suis venu à la conclusion, au fil des ans, qu'il n'y a qu'un problème majeur dans notre monde : c'est la pauvreté. La pauvreté effrayante des peuples du Tiers-Monde, évidemment, mais aussi la pauvreté des nôtres qui, dans une société riche, ajoute à leur misère financière et physique l'abîme de la misère psychologique dans laquelle ils se trouvent plongés de par la comparaison même qu'ils sont amenés à faire tous les jours avec les riches.

Ça coûte cher être pauvre.

Les pauvres sont forcés de s'habiller de vêtements bon marché qui ne durent pas une saison. Ils sont obligés de les renouveler souvent et finissent par dépenser plus pour s'habiller que les riches.

Ils vivent le plus souvent dans des maisons ou des appartements mal isolés qui leur coûtent un prix fou en chauffage.

Ils achètent des appareils électroménagers d'occasion qui leur pètent dans les mains à tout bout de champ.

Ils ont du mal à se nourrir correctement. Leur santé est bien plus déficiente que celle des riches.

Les enfants, pour survivre, doivent travailler très tôt. À peine instruits, ils sont condamnés à faire les mêmes petites *jobs* sales toute leur vie.

Sans moyens de défense, au moindre accroc, ils se ramassent en prison.

Impuissants, ils doivent recourir au Bien-être social, qui coûte très cher à l'ensemble de la société.

Oui, ça coûte cher être pauvre.

Être pauvre, ce n'est pas manquer d'argent, c'est ne pas pouvoir s'en sortir.

La pauvreté engendre la pauvreté aussi inéluctablement que la richesse engendre la richesse.

Dans une société aussi riche que la nôtre, les pauvres et les très pauvres comptent pour près de la moitié de la population. Dans le monde, on peut parler de 80 % de la population.

L'absence totale de sécurité s'accompagne évidemment de la privation manifeste de la liberté.

Or, la lutte à la pauvreté n'a jamais fait partie de nos priorités. Nous trouvons quelques palliatifs, nous organisons la charité publique, nous versons un pleur sur tel ou tel cas particulier qui nous touche davantage. Puis nous détournons la tête pour ne rien voir.

Dans l'histoire du monde, la pauvreté m'est toujours apparue comme un scandale. Mais il fallait faire avec et, encore aujourd'hui, à bien des endroits, on doit toujours faire avec parce qu'on n'a pas le choix.

Mais dans une société riche le scandale devient vite intolérable.

C'est de toutes parts qu'il faut s'attaquer aux problèmes. Il faut le faire sous n'importe quel gouvernement, dans quelque situation constitutionnelle que ce soit, et que nous vivions en régime libéral, socialiste, corporatiste, démocrate-chrétien, conservateur, dans une société totalitaire comme dans une société démocratique.

Ce devrait être la guerre tous azimuts alors que nous nous contentons d'escarmouches futiles.

Alphabétisation massive, politiques de plein emploi rigoureuses, recyclage, augmentation des prestations à ceux qui sont inaptes au travail, relèvement rapide des revenus les plus faibles accompagné de blocages temporaires des salaires les plus élevés (oui, au risque de voir partir ailleurs un certain nombre d'arrivistes âpres au gain), taux d'intérêt privilégiés, etc., etc.

Mon but n'est pas de proposer un programme. Je sais bien que ces affaires sont complexes et que l'improvisation peut créer plus de problèmes qu'elle n'en résout.

Mon but est simplement d'établir un ordre de priorités en faisant de la lutte à la pauvreté la première de toutes.

C'est toute la société qui doit être conscrite dans cette bataille, car je crois sincèrement que c'est la seule qui mérite vraiment d'être gagnée.

Ce n'est pas l'écart entre les revenus qui me choque, il peut être aussi grand qu'on voudra, à la condition expresse que le revenu minimum de chacun lui assure une vie décente qui aille au-delà du seuil de la pauvreté. Quand tout le monde pourra se payer une Hyundai, on sera moins scandalisé de l'arrogance de la Jaguar. Quand tout le monde sera logé décemment, on pourra se balader sans amertume dans Westmount. Quand tout le monde se rendra à l'université, les détenteurs de trois doctorats ne seront plus perçus comme des privilégiés.

Les partis politiques n'ont pas besoin de programmes complexes qui s'éparpillent dans toutes les directions. Tout l'argent, toutes les énergies, toutes les ressources concentrés dans quelques objectifs majeurs, voilà de quoi nous avons besoin.

Un projet de société ? Facile à définir : la société québécoise ne comptera plus un seul pauvre dans 20 ans.

Dans mon esprit, tout le reste est secondaire.

Nous avons les moyens de réussir, mais nous n'avons pas les moyens d'échouer.

Faudra-t-il attendre d'avoir gagné la lutte à la pauvreté chez nous pour nous attaquer à la pauvreté ailleurs dans le monde ?

Je crois essentiel de mener les deux batailles de front.

Notre richesse et nos privilèges nous le commandent. Notre conscience devrait nous y pousser.

Mais, en ce domaine comme en tant d'autres, nous nous émouvons l'espace d'un moment, le temps d'un morceau de famine à la télévision, d'un morceau de misère à la radio, d'un morceau de massacre dans le journal. Et nous passons à autre chose.

Cela ne peut pas durer.

Une nouvelle priorité ? Non, c'est toujours la même. Nous parlons toujours de la lutte à l'injustice et à la misère, nous parlons toujours de la nécessaire sécurité qui permet aux libertés de s'épanouir.

Nous ne pouvons en réclamer plus longtemps le monopole.

Pour l'instant, c'est à Ottawa que nous devons nous en remettre pour organiser cette bataille. Mais le Québec indépendant en aura toute la responsabilité.

Or, une indépendance qui ne servirait qu'à nous enrichir encore plus, au mépris de la plus élémentaire solidarité internationale, ne vaudrait pas la peine d'être conquise.

Il est pourtant bien inutile de nous donner un si noble objectif si c'est pour en confier la mise en œuvre à quelques fonctionnaires internationaux, si bien intentionnés soient-ils, comme cela se fait couramment de nos jours et dans presque tous les pays.

La conséquence directe de cette manière de faire est de justifier le désintéressement de la population dans son ensemble. « Puisqu'ils s'en occupent, dira-t-on trop facilement, moi je peux bien vaquer à mes affaires. » Conscience tranquille.

D'autre part, les gens ne savent pas où va leur argent, et comme ils ne voient pas la misère des autres autrement qu'à la télévision, ils ont l'impression de ne contribuer qu'à des causes abstraites qui ne les regardent pas vraiment.

Or, je dis que nous pourrions faire autrement.

D'abord, en évitant de croire que nous allons sauver le monde entier, mais, en même temps, en croyant fermement que nous pouvons en sauver une partie.

J'ai déjà proposé ailleurs une façon de faire les choses (c'est loin d'être la seule) qui permettrait à une grande partie de la population du Québec de s'embarquer dans cette bataille tout en la rendant plus humaine et plus efficace.

Je parle de jumelage : jumelage du pays, jumelage des villes, jumelage des organismes, jumelage des institutions.

Prenons un exemple :

Supposons que le Québec choisisse de se jumeler au Guatemala. Une fois l'accord avec le Guatemala acquis, la lutte commence.

Montréal sera jumelée à la plus grande ville du Guatemala, puis Québec à la deuxième plus grande, et ainsi de suite, selon la volonté des institutions et des gens de toutes les villes et de tous les villages.

Les gens de Saint-Hyacinthe ne sont dès lors plus perdus dans l'abstraction du salut du monde. Ils ont un village à sauver au Guatemala et c'est à cela qu'ils vont vouer leur entreprise. Toujours en accord avec les populations de l'endroit, nombre de Maskoutains iront sur place répondre d'abord aux besoins les plus criants, s'instruire de la culture des autres, imaginer avec eux des moyens d'en sortir. On fera appel aux compétences particulières de chacun au lieu de ne compter que sur des programmes pensés par les spécialistes du Tiers-Monde. Une famille de Saint-Hyacinthe pourra ne s'occuper que d'une famille de ce village guatémaltèque avec laquelle elle aura voulu se jumeler. Elle la connaîtra, pourra la visiter à l'occasion, liera de véritables liens d'amitié, et finira par voir en cette famille une partie de ses propres affaires au lieu d'en faire l'affaire de quelque gouvernement anonyme.

Trop souvent, nous décrochons parce que nous avons désormais une image planétaire de la misère du monde. Assis devant notre téléviseur, nous désespérons de pouvoir faire quoi que ce soit tant les problèmes semblent démesurés.

Mais nous pouvons tous soulager une partie de la misère du monde, à condition de pouvoir l'identifier et de nous y identifier.

La chambre de commerce de Rimouski pourrait aussi se jumeler à un organisme guatémaltèque, ce qui leur permettrait d'établir ensemble des objectifs tout en se donnant les moyens de les atteindre.

De village à village, d'organisme à organisme, de personne à personne.

L'idée est simple et elle n'est pas facile à réaliser.

Mais, quand le dixième ou le quart de la population québécoise se sera approprié ne fut-ce qu'une partie de la misère du monde, il deviendra facile à n'importe quel gouvernement de justifier les budgets consacrés à l'entreprise. Quand l'adolescent de 14 ans d'ici aura côtoyé l'adolescent guatémaltèque du même âge dans la famille avec laquelle sa famille est jumelée, il aura mis un visage d'ami sur l'appel au secours anonyme qui ne lui parvenait que faiblement jusqu'alors.

Et si tous les pays faisaient de même ?

Je crois sincèrement que l'humanisation de l'aide internationale passe par des programmes de ce genre.

Auxquels il faudra en ajouter d'autres et de toutes sortes car les besoins sont infinis.

Il faut sortir la misère du monde de la télévision. Il faut la côtoyer, il faut la reconnaître, il
faut l'apaiser.

Une priorité pour un Québec décent.

L'INDÉPENDANCE

Si nous brûlons aujourd'hui ce que nous avons adoré il y a peu, c'est que nous adorions sans raison et que nous brûlons sans discernement.

Le discours politique québécois a tout simplement capoté.

On s'aperçoit aujourd'hui qu'il portait en lui le germe de sa propre destruction parce qu'il était superficiel et désincarné.

Beaucoup d'indépendantistes nous disent aujourd'hui qu'ils se sont battus pour rien et que la grande bataille qu'ils avaient entreprise n'était rien d'autre, au fond, qu'un « *trip* de jeunesse », presque un mauvais souvenir qu'il faut s'empresser d'enfouir au plus profond de la mémoire.

Par ailleurs, nombre d'artisans de la Révolution tranquille la renient aujourd'hui pour mieux se mettre au goût et à la mode du jour sans même s'apercevoir que, sans elle, ils ne seraient pas devenus ce qu'ils sont et qui est bien mieux que ce qu'ils pouvaient espérer.

De bons vieux fédéralistes libéraux font amende honorable : ils se seraient laissés emporter par « l'ambiance » de l'époque. Encore un mauvais souvenir.

C'est à qui nierait son passé avec le plus de célérité, c'est à qui renoncerait le plus allégrement à toutes ses passions et à tous ses espoirs.

Brûlons tout, ainsi nous n'aurons pas à recoller les pots cassés. Recoller, ça veut dire retrouver les morceaux, les remettre en place, les faire tenir ensemble. C'est une tâche ardue qui exige de la discipline, de l'esprit d'analyse, de la minutie, de la lucidité. C'est vraiment trop forçant. Brûlons tout !

Comme c'est bête !

J'ai écrit, il y a quelques années, qu'on ne vieillissait bien qu'en restant fidèle à ses rêves de jeunesse. Je crois toujours que c'est vrai.

Ce n'est pas parce qu'un rêve ne s'est pas réalisé qu'on avait tort de l'entretenir.

Contrairement à ce qu'on affirme en tous lieux, la situation n'a pas tellement changé. Les raisons qui militaient en faveur de l'indépendance du Québec sont aujourd'hui les mêmes qu'en 1960 et si on paraît les oublier c'est qu'on ne les connaissait sans doute pas au départ.

« Ce n'était que du sentiment », nous disent les tripeux des années soixante. Ainsi, ils nous avouent bêtement qu'ils n'ont jamais su ce qu'ils faisaient et pourquoi ils le faisaient. Ils sont des milliers aujourd'hui à penser qu'il ne s'agissait que d'un *trip* sans conséquence. Et ce sont les mêmes qui se sont surpris de la victoire du NON au Référendum !

Je le dis tout net : la plupart de ceux et celles qui ont voté OUI ou NON en 1980 ne savaient absolument pas les raisons de leur choix. Un grand *trip,* rien de plus. On s'est affrontés, « pour le *fun* », en une sorte de futile guerre des boutons.

Aujourd'hui qu'on a grandi, on ne trouve rien de mieux à faire que d'enjoindre les plus jeunes à ne pas se laisser aller à pareils débordements.

Le grand Canada bilingue des uns n'a pas eu lieu. Le grand Québec souverain des autres n'a pas eu lieu. Pour les uns et pour les autres, nos plus belles réalisations n'ont pas eu lieu. Rien ne s'est passé. Table rase. On repart à zéro. C'est un nouveau *trip* qui n'a pas plus de contenu que le précédent.

Un exemple : on nous affirme de toutes parts que l'heure est à l'internationalisme et qu'il faut oublier nos velléités nationalistes d'antan.

Cette affirmation prouve une chose : c'est qu'on n'a rien compris au nationalisme et à l'internationalisme.

Le rêve indépendantiste était et reste un rêve d'internationalisme. Il consistait à faire du Québec un pays souverain qui pourrait traiter d'égal à égal avec les autres nations du monde, ce que son statut de province lui interdit de faire pleinement.

Par ailleurs, dans les limites de ses compétences, le Québec a engagé des efforts considérables dans l'augmentation et l'amélioration de ses relations avec le reste du monde. C'est dans les 25 dernières années que le Québec a pris son élan « international ».

Le nier, c'est faire preuve d'une ignorance crasse. C'est nier à la fois le rêve et la réalité. Le rêve était sans contenu et la réalité creuse.

Mais alors, de quoi parle-t-on au juste aujourd'hui ? D'internationalisme ? Nullement. On parle d'américanisme, un point c'est tout.

Les relations internationales ? C'est pour mieux vendre ses tounes débiles dans le vaste marché américain. Le libre-échange ? C'est pour mieux vendre sa camelote dans le vaste marché américain. L'ouverture sur le monde ? C'est de pouvoir s'acheter un condo sur les vastes plages américaines.

L'Europe ? Dépassée. L'Afrique ? Trop loin, trop noire. L'Asie ? Les Vietnamiens fréquentent déjà nos écoles. Alors, à quoi bon ?

Au Québec, en 1989, l'internationalisme ça ne veut dire qu'une chose : les États-Unis.

Mais comment pourrait-on savoir de quoi on vit aujourd'hui, quand on n'a jamais compris de quoi on a rêvé autrefois ?

Nous avons adoré sans raison, juste pour le *trip*. Nous brûlons sans discernement, juste pour le *kick*.

Nous nous empressons de renier nos rêves de jeunesse et nous nous surprenons de constater que les jeunes ne font pas les mêmes ou n'en font pas du tout.

Comment oserions-nous le leur reprocher ?

J'en connais beaucoup qui crachent aujourd'hui sur ce qu'ils ont adoré mais qui profitent pleinement et sans vergogne du fruit des grandes batailles des années soixante.

C'est à cause des batailles nationalistes que nombre de francophones ont accédé au pouvoir et à l'argent.

Provigo et Lavalin, et Hydro-Québec, et Cascades, et Agropur, et Péladeau, et Paul Desmarais, et M. Untel et Mme Unetelle qui occupent des belles positions bien rémunérées, et vous, et moi, et tous ces autres bien assis sur leur cul et sur leur permanence, tout ce beau monde ne s'est pas fait tout seul.

Pendant que certains tripaient sans raison, d'autres se battaient en sachant pourquoi. Et ils ont fabriqué de toutes pièces ceux et celles qui crachent aujourd'hui sur leurs rêves.

Inconscients et masochistes que nous sommes !

Moi, je crois que nos rêves de jeunesse avaient un sens et qu'ils en ont encore un aujourd'hui.

Je crois qu'il faut encore une fois reprendre le collier et poursuivre la bataille. Mais il faut souhaiter, cette fois, que les tripeux restent chez eux.

Je radote ? Bien sûr que je radote. Je n'ai pas le choix, puisque un grand pan de notre histoire est resté immobile alors que les choses bougeaient tout autour.

Parler d'indépendance aujourd'hui ? Voilà bien la nostalgie des vieux cons qui n'ont pas compris que tout cela est bien dépassé et qu'il vaudrait mieux maintenant s'attaquer à autre chose.

Pourtant, je ne suis pas nostalgique. Pourtant, je ne crois pas déraisonner en restant fidèle au rêve.

S'il s'avérait aujourd'hui que le rêve était vain, ou qu'il est dépassé, il faudrait de toute urgence s'en inventer d'autres. Mais ce n'est pas le cas. Hélas ! ou tant mieux ! le Québec a encore toutes les raisons de vouloir accéder à son indépendance.

J'ai montré plus tôt comment il pouvait être dangereux pour les francophones du Québec de se percevoir comme une majorité alors qu'en réalité ils sont toujours une minorité à l'intérieur du Canada.

Parce que nous ne sommes pas une vraie majorité, dans les faits, chaque fois que nous avons envie de poser un geste de majoritaires nous nous sentons coupables, comme si ce geste avait quelque chose d'immoral. D'ailleurs, nos ennemis se font fort de nous culpabiliser sans nous demander la permission.

Ils n'hésitent pas à nous rappeler que, *dans les faits,* nous sommes une minorité au Canada et en Amérique du Nord et que nous ferions mieux de tenir notre place.

Ils n'ont pas tort.

Le débat sur la langue est le plus bel exemple de ce que j'avance. Nous frappons soudain du poing sur la table pour reculer aussitôt de peur de faire de la peine aux Anglais. Nous n'avons que des velléités de majoritaires parce que nous ne sommes pas de vrais majoritaires.

C'est pour sortir de cette situation perverse que l'indépendance est toujours nécessaire.

Cela est aussi vrai aujourd'hui que depuis toujours : l'indépendance nous permet de passer du statut de minoritaires à celui de majoritaires. Cela fait toute la différence du monde. Elle nous permet d'inscrire dans la réalité et les institutions une abstraction d'autant plus pernicieuse qu'elle nous rend perméables à tous les chantages.

Je l'ai dit et redit mille fois : les minorités n'ont que les droits que veulent bien leur garantir les majorités. Si celles-ci sont de bonne humeur, tant mieux. Si elles sont de mauvaise humeur, alors tant pis.

Il vaudrait mieux qu'il en soit autrement ? Sans doute, et je suis le premier à l'espérer. Mais cela n'est pas ainsi. Historiquement surtout, cela ne le fut pas pour nous, francophones du Canada. Ce ne l'est toujours pas.

Au Canada, c'est la majorité qui mène depuis plus de 150 ans, et cette majorité appartient à un groupe qui nous est étranger.

À moins d'être complètement inconscient, ou de pratiquer la pire des démagogies, on est bien obligé d'admettre qu'il vaut mieux faire partie d'une majorité que d'une minorité.

L'indépendance du Québec nous permet de nous placer en situation de majorité. Je comprends mal le masochisme de certains d'entre nous qui, animés d'un bel esprit libéral, veulent nous maintenir dans l'état de sujétion dans lequel nous sommes.

« Il sera toujours difficile et dangereux d'être francophones en Amérique du Nord », nous répètent-ils à satiété. Mais pourquoi, grands dieux, devrait-il en être ainsi ?

Il est évident que si nous ne changeons pas notre statut on ne peut que leur donner raison. Et c'est ainsi que nous continuerons d'être ballottés entre la vraie minorité de langue française en Amérique du Nord et au Canada et notre fausse majorité de langue française au Québec.

Pourquoi résistons-nous tant à nous placer en situation normale comme l'ont fait à peu près tous les peuples du monde ? C'est sans doute l'amour qui attache l'esclave à son maître. C'est sans doute aussi la peur de prendre nos responsabilités.

On ne répétera jamais assez que l'indépendance n'est pas une récompense pour les peuples parfaits mais l'instrument essentiel qui permet à ceux-ci de se retrouver en situation normale. Rien de plus, mais rien de moins.

On ne dira jamais assez non plus que l'indépendance n'est pas une sinécure et qu'il vaut mieux ne pas la faire si on considère que la maîtrise de ses propres affaires ne vaut pas mieux que la délégation à d'autres de ses pouvoirs et de ses libertés.

Parlons-en des libertés.

Aujourd'hui comme il y a 30 ans, rien n'a changé de ce côté. Nous ne contrôlons toujours pas notre monnaie, notre commerce extérieur, nos banques, notre crédit, nos taux d'intérêt, une grande partie de nos taxes et de nos impôts, les subventions fédérales de toutes sortes, les grands organismes fédéraux, une grande partie de nos

lois, nos affaires étrangères, nos relations internationales, notre éducation, nos régimes de
retraite, nos assurances, Radio-Canada, nos inves-
tissements étrangers, notre immigration, nos politiques linguistiques et culturelles, Air Canada ou
Via Rail, etc.

Autrement dit, aujourd'hui comme il y a
30 ans, nous n'avons que des demi-pouvoirs et des
demi-libertés et c'est la majorité canadienne qui
détient, dans tous les domaines, les grands
pouvoirs et les grandes libertés.

Ou bien nous sommes une société distincte,
ou bien nous n'en sommes pas une.

Or, si nous le sommes vraiment, comment
pouvons-nous accepter que les autres la définissent selon leur bon vouloir, la gouvernent et l'ad-
ministrent selon leurs propres intérêts ?

Comment pouvons-nous laisser aux autres le
soin d'établir « nos » objectifs et « nos » priorités
quand nous savons que, la plupart du temps, ils
ne correspondent pas aux leurs ?

Quand nous savons surtout que le Canada
anglais n'est prêt à reconnaître cette société
distincte qu'à la condition expresse que cette
société n'ait pas les pouvoirs de se maintenir dans
sa distinction.

Ne nous y trompons pas, le Canada anglais,
aujourd'hui comme hier, voit dans le Québec une
province comme les autres et ne peut pas accepter

que nous soyons différents au sein de la Confédération canadienne.

Quels que soient nos efforts, quelles que soient les énergies dépensées et quels que soient les espoirs que nous entretenons, la barrière restera à jamais infranchissable.

Seule l'indépendance peut faire sauter cette barrière et nous donner tous les pouvoirs et toutes les libertés dont jouissent les peuples normaux.

Bien sûr, beaucoup hésitent encore à franchir le pas parce qu'ils craignent les excès d'un Québec indépendant.

Qu'adviendrait-il de la démocratie si nous étions seuls à nous gouverner ? Qu'adviendrait-il des libertés civiques ? Ne serions-nous pas tentés par quelque aventure démoniaque propre à nous jeter dans la barbarie ?

Je me ris de ces craintes parce que ceux qui les entretiennent ne les entretiennent qu'à notre égard et jamais à l'égard des autres.

Nous savons tous que l'indépendance n'est pas une garantie de quoi que ce soit. Nous savons tous que nous aurions, après l'indépendance comme avant, de bons et de mauvais gouvernements. Nous savons tous que tout peut arriver, les hommes étant ce qu'ils sont, après comme avant l'indépendance. Et je vois mal comment les indépendantistes devraient être tenus de garantir ce que leurs adversaires ne peuvent pas garantir en tous lieux et en toutes circonstances.

Nous connaissons trop les injustices que les francophones du Canada ont subies, et subissent encore, à l'intérieur de la Fédération canadienne pour accepter l'équation simpliste qui voudrait que ces mêmes francophones, ayant à se gouverner eux-mêmes, se comporteraient nécessairement, plus mal que leurs conquérants et leurs envahisseurs.

Ce raisonnement relève encore de celui de l'esclave qui croit que le maître sait bien mieux que lui-même ce qui est bon pour lui.

J'ai les mêmes craintes que tout le monde, et je connais trop bien la faiblesse des hommes et des sociétés pour ne pas imaginer le pire. Mais je refuse carrément à quiconque le droit de dire que le pire ne peut être que l'apanage des Québécois, alors que le pire, hélas ! est l'apanage du genre humain tout entier.

Je ne crains pas plus les excès d'un Québec indépendant que je crains les excès du Canada anglais, des Américains, des Allemands ou des Italiens.

Nous ne sommes ni meilleurs ni pires que les autres et, une fois l'indépendance faite, nous ne serons toujours ni meilleurs ni pires que les autres.

Ce n'est pas parce que le pouvoir peut être dangereux en nos propres mains qu'il faut le laisser aux mains des autres, dans lesquelles il peut non seulement être dangereux mais, en plus, servir d'instrument contre nous.

Autrement dit, je me crains moi-même, mais pas plus que je ne crains les autres. Et quand il s'avère que ce sont les autres qui me menacent, je préfère détenir tous les pouvoirs nécessaires à ma défense.

Quelle que soit la façon dont on aborde la question, il faut bien se rendre à l'évidence : l'indépendance nous est plus nécessaire que jamais.

Depuis 30 ans, munis de demi-pouvoirs et de demi-libertés, nous avons accompli des choses étonnantes. Imaginez ce que c'eût été si nous avions eu tous les pouvoirs et toutes les libertés et si nous n'avions pas été forcés de consacrer tant de temps à en réclamer toujours davantage !

J'irai plus loin. Je dirai que nous avons plus besoin aujourd'hui de l'indépendance que nous en avions besoin il y a 30 ans. Pourquoi ? Parce que nous avons à peu près épuisé nos provisions à l'intérieur de la Fédération canadienne.

Autrement dit, nous avons fait donner tout ce qu'il pouvait au pouvoir provincial. Pour aller plus loin, il nous faut une aire de manœuvre beaucoup plus considérable et des pouvoirs qui nous permettent de l'occuper tout entière.

À l'heure du libre-échange, il ne serait pas inutile, me semble-t-il, que le Québec puisse récupérer les grands pouvoirs économiques qui sont de responsabilité fédérale.

C'est massivement que le Québec a voté pour le libre-échange. Mais il risque fort d'en faire les frais si la politique monétaire continue de lui échapper, si les taux d'intérêt continuent de n'être fixés qu'en fonction de l'Ontario ou si le traité même qui nous lie aux États-Unis échappe à la définition de nos objectifs et de nos priorités.

C'est exactement ce qui se passe actuellement et ce ne sont pas les lamentations infantiles de Robert Bourassa qui y changeront quoi que ce soit.

La petite Hollande a bien plus de pouvoir et de poids dans la Communauté économique européenne que le Québec n'en a dans le « marché commun » nord-américain. Pourquoi ? Tout simplement parce que la Hollande parle en son nom propre et défend ses propres intérêts sans être obligée de les négocier par l'entremise de quelqu'un d'autre.

Cela ne veut pas dire qu'elle a autant de poids que l'Allemagne ou la France, cela veut tout simplement dire qu'elle en a plus que le Québec.

Simpliste ? Peut-être. Un Québec indépendant n'aurait pas autant de poids que les États-Unis ou le Canada, cela va de soi. Mais un Québec indépendant aurait plus de poids que la « province » de Québec.

M. Bourassa peut bien se contenter d'être le Premier ministre d'une province aux jambes coupées d'avance, moi je préférerais le voir

Premier ministre d'un pays qui aurait une plus grande partie des moyens de ses politiques.

Il ne pourrait pas tout, mais il pourrait plus.

L'indépendance, ce n'est rien d'autre que cela : pouvoir plus.

Je ne vois vraiment pas en quoi ce « rêve » peut être dépassé, en 1989. Ou alors, j'attends qu'on me démontre comment le Québec pourrait avoir plus de responsabilités, de pouvoirs et de liberté sans l'indépendance.

« La fleur croît à son rythme propre et ce n'est pas en tirant dessus qu'on la fera grandir. »

Claude Morin entendait par là que l'indépendance viendrait à son heure, que ça ne servait à rien de s'agiter, que la nature fait bien les choses et qu'il vaut mieux ne pas trop s'en mêler.

C'est ainsi qu'il a toujours justifié son attentisme, qui lui permettait de regarder passer le train pendant que nos adversaires y montaient.

Or, c'est justement à cause de cette maudite fleur que nous n'avons pas parlé d'indépendance pendant près de 15 ans.

Comment ne pas être d'accord avec Claude Morin quand il dit qu'il ne faut pas tirer sur la fleur ? Cela dit, on peut quand même s'en occuper un peu.

D'abord, il faut la reconnaître et l'identifier. De quelle fleur parlons-nous ? S'agit-il d'une rose ou d'un chardon ? S'agit-il de souveraineté, d'autonomie, d'association ou d'indépendance ?

Puis, il faut en connaître les habitudes. Pousse-t-elle dans un terrain calcaire ou préfère-t-elle le bord de l'eau ? Faut-il amender la terre où on la sème et doit-on l'engraisser de quelque manière ? Le terrain est-il propre à l'indépendance ? Avons-nous suffisamment préparé les esprits pour que l'idée germe bien ? Sommes-nous sur notre terrain ou sur celui du voisin ?

Il faut encore voir si la fleur a suffisamment de soleil et d'eau. Il ne faut pas qu'elle souffre d'insolation, mais elle ne doit pas se dessécher en une terre elle-même trop sèche. Il faut l'arroser souvent. L'indépendance fait peur et menace de brûler qui s'y frotte ? Au lieu de la reléguer dans l'ombre, il faut la faire apparaître comme la chose normale qu'elle est. Si on ne veut pas que la cause elle-même se dessèche, il faut en parler, en parler, et en reparler. Pour grandir dans le cœur et la tête des gens, la cause doit être alimentée de paroles et de gestes concrets. Il faut expliquer mille fois plutôt qu'une.

La fleur a-t-elle des ennemis qui risquent de la blesser, voire même de la tuer ? Il faut savoir identifier ces ennemis et les combattre. L'ennemi se trouve-t-il à Ottawa, à Washington, à Québec ou en nous-mêmes ? Le poursuivre sans relâche, le harceler, lui faire rendre l'âme. Le surprendre avant même qu'il ait pu causer quelque dommage. Attaquer Trudeau, Mulroney ou Chrétien sans relâche. Repousser l'ennemi avant qu'il soit en nos murs.

D'où l'on voit que la petite fleur à Morin pourrait, même si on ne tire pas dessus, bénéficier de quelques soins propres à la mener à son plein épanouissement.

D'où l'on voit que cela n'a pas été fait et que la fleur de l'indépendance, attaquée de toutes parts par le chiendent fédéraliste, assoiffée par la sécheresse du discours, a bien failli mourir.

Elle reprend un peu de vigueur aujourd'hui, mais elle reste fragile. Il faut donc la revigorer de toute urgence.

Pour ma part, je crois que le Parti québécois, malgré les avatars des dernières années, reste l'instrument privilégié de la conquête de notre indépendance.

D'abord, parce qu'il existe. Il faut avoir forgé un parti politique à partir de zéro pour savoir à quel point l'entreprise est difficile et périlleuse.

Ce serait folie de vouloir refaire l'expérience quand nous avons à notre disposition un parti politique qui, sans être aussi parfait et aussi fort que nous le souhaiterions, reste quand même la deuxième force politique du Québec et quand, de moribond qu'il était, ce parti manifeste des signes de santé certains.

Il est important de ne pas toujours repartir à zéro. Le Parti québécois compte plus de 100 000 membres (dont je suis), il reprend son organisation en main, il se refait une crédibilité, il rebâtit ses structures, il se redonne lentement les moyens de son action.

Il a bien failli mourir, mais il reste vivant.

Il pourrait l'être bien davantage si tous ceux et celles qui y ont déjà milité y revenaient. Je sais, je sais, vous n'en avez plus envie, vous vous répétez que vous avez été dupés et qu'on ne vous y reprendra plus, vous avez vieilli, vous avez fait votre part et vous avez déjà donné. Je sais tout cela. Mais je sais aussi que vous êtes toujours indépendantistes et que vous mourrez indépendantistes. Alors, qu'est-ce que vous attendez ? Vous n'y croyez plus ? Allons donc !

Vous y croyez encore, mais vous ne voulez pas être blessés encore une fois. Comme je vous comprends et comme je vous désapprouve !

Vous vous inquiétez des jeunes ? Et vous ? Ils n'auront donc en partage que votre rêve brisé, alors même qu'ils vous offrent aujourd'hui de vous aider à en recoller les morceaux ?

Ce que nous n'avons pas réussi, nous, peut-être pouvons-nous le réussir avec eux ? Ça ne vaut pas la peine d'essayer ?

Pour moi, oui. Parce que je crois encore à l'indépendance du Québec.

Je ne militerai plus jamais comme je l'ai fait autrefois, mais il est important pour moi d'être membre du Parti québécois pour affirmer ma solidarité avec toux ceux et celles qui veulent encore se battre.

Nous ne repartons pas à zéro. Nous repartons avec 40 % du vote et avec un parti qui pourrait compter 300 000 membres demain matin si l'envie d'avoir un pays redevenait plus forte que l'amertume qui nous maintient au niveau de nos frustrations et de notre dépit politiques.

Le Parti québécois existe et c'est sa première qualité.

Et puis, le Parti québécois est redevenu indépendantiste. Officiellement, souverainement, dans le discours et dans les textes. Dans sa composition aussi.

L'expérience nous apprend qu'il ne le restera que si tous les indépendantistes l'investissent massivement pour le maintenir en cet état et pour noyer sous leur nombre les nationalistes frileux qui ont tant miné son action par le passé. C'est la seule garantie que nous puissions nous donner.

Pour l'instant, il est indépendantiste, et son chef, Jacques Parizeau, semble vouloir le maintenir dans cette voie. À nous de faire en sorte qu'il ne puisse pas faire autrement.

Le Parti québécois est enfin revenu à sa stratégie première. Prendre le pouvoir, c'est engager le processus vers l'indépendance. Cela n'aurait jamais dû être autrement, mais on sait trop, hélas ! ce qui s'est passé.

« Nous ne sommes pas là pour faire mieux que les autres, mais pour faire autre chose. »

Toutes ces raisons me portent à croire que le Parti québécois reste le meilleur instrument pour accéder au pouvoir et proclamer l'indépendance du Québec.

Sur papier, c'est le meilleur *club*.

Mais la partie est loin d'être gagnée et il faudra jouer serré.

Or, le Parti québécois ne joue pas serré.

On comprend qu'il ait des problèmes de réorganisation. On comprend qu'il doive renforcer ses assises financières. On comprend qu'il doive reformuler son discours.

Et je comprends que M. Parizeau ait pu être débordé depuis qu'il a pris la tête du Parti.

Mais, bientôt, je ne comprendrai plus. Je me refuserai de comprendre que nous ne parlons pas vraiment d'indépendance, que nous n'attaquons pas nos véritables adversaires, que nous ne faisons pas davantage confiance au peuple québécois.

À vrai dire, je ne comprends déjà plus.

Il n'y a qu'une stratégie possible pour un parti indépendantiste, et c'est de parler d'indépendance sur toutes les tribunes, en tous lieux, en tout temps. Il faut en expliquer les raisons et les avantages. Il faut en démontrer la normalité. Il faut la situer dans une perspective historique. Il faut la comparer aux autres « solutions ». Il faut la porter à bout de bras et la mettre de l'avant. Il faut l'associer à tous nos discours et à tous nos gestes. Il faut la faire monter aux barricades et lui faire reprendre l'offensive. Il faut forcer ses adversaires dans leurs derniers retranchements.

Or, ce n'est pas ce que M. Parizeau fait et ce n'est pas ce que fait le Parti québécois.

Nous n'arriverons à rien si le discours indépendantiste ne reprend pas la première place, s'il n'est pas de toutes les conversations et de toutes les pensées.

Nous ne convaincrons personne de sa valeur si nous laissons les adversaires le déformer et l'amoindrir et le ranger dans les oubliettes de l'histoire.

Il faut en montrer la pertinence et la modernité.

Il faut expliquer et encore expliquer et toujours expliquer.

C'est un discours qui — je l'ai toujours cru — peut convaincre une majorité de Québécois.

Encore faut-il que tout le monde l'entende et que tout le monde puisse en discuter.

La plus grande erreur que nous ayons faite dans le passé fut de cesser de parler d'indépendance et d'en expliquer les bienfaits.

Nous sommes en train de répéter cette erreur.

Le Parti québécois n'a pas à démontrer qu'il formera un meilleur gouvernement provincial que le Parti libéral du Québec. Cela a déjà été fait et cela n'a pas fait avancer la cause de l'indépendance.

Le Parti québécois a à démontrer que l'indépendance est une bonne chose pour les Québécois et qu'il prendra le pouvoir pour la faire. Un point c'est tout.

Il ne suffit pas à M. Parizeau de répéter une fois par mois qu'il est indépendantiste, il faut qu'il parle d'indépendance dans chacune de ses déclarations, qu'il en montre la pertinence quand il parle des taux d'intérêt, du libre-échange, de la télévision, de l'élevage des poules ou de la langue des immigrants.

Il faut que M. Parizeau et tout le Parti québécois inscrivent l'indépendance dans la réalité de tous les jours pour démontrer à tous qu'elle est devenue indispensable si nous voulons continuer d'exister en Amérique du Nord.

Il faut qu'on multiplie les exemples, qu'on rétablisse les priorités, qu'on dénonce les adversaires qui patinent et qui mentent.

Il faut occuper tout le terrain et forcer les adversaires à s'expliquer. Il faut les traquer de toutes parts et de Halifax à Vancouver.

Le discours indépendantiste doit redevenir une arme offensive propre à débusquer toutes les tromperies et toutes les trahisons.

Il faut en parler, en parler, en parler.

Mais il faut d'abord le connaître. Je vois les jeunes de partout au Québec qui se disent indépendantistes et qui ne savent pas pourquoi. Or, le Parti québécois sait pourquoi et il a le devoir d'expliquer, d'expliquer, d'expliquer.

Je comprends que M. Parizeau n'a pas pu jusqu'ici, à cause des problèmes que l'on sait...

Mais je ne comprendrai bientôt plus.

Nous devons reprendre la parole.

LA PAROLE !

LA LANGUE

Tout le monde se dit fatigué du débat sur la langue et je crois bien que tout le monde dit vrai, moi le premier.

Mais il y a deux façons de réagir à cette fatigue. On peut, comme certains, décider de parler d'autre chose en oubliant que la situation continue de pourrir et qu'il faudra y revenir bien plus vite qu'on croit.

On peut encore, et c'est mon cas, décider de régler le problème une fois pour toutes et s'arranger pour qu'il ne vienne plus habiter nos cauchemars.

Encore la langue ! Toujours la langue ! Eh oui ! encore et toujours !

Pourquoi ? Mais tout simplement parce que tout le reste en découle ! Si nous n'étions pas de langue française, nous n'aurions pas l'histoire que nous avons faite, celle que nous faisons et celle qui nous reste à faire. Nous aurions sans doute des problèmes, mais ils seraient d'une tout autre nature. Nous aurions des ambitions, mais elles ne tendraient sans doute pas vers les mêmes objectifs. Nous rêverions sans doute d'un gouvernement provincial fort, mais, pour le reste, nous pourrions facilement, comme les autres, nous en remettre au gouvernement d'Ottawa.

Nous n'existons, comme collectivité, que par ce dénominateur commun qui s'appelle la langue française.

C'est un peu par habitude que nous continuons de la parler. Il est arrivé, à quelques occasions dans notre histoire, que nous ayons eu à décider de continuer de le faire.

À tort ou à raison, nous la sentions menacée et, sans trop réfléchir aux conséquences, nous la défendions avec acharnement.

Autrement dit, une fois de temps en temps, il faut dépasser l'habitude et prendre des décisions.

C'est pourquoi la langue reste une priorité et c'est pourquoi elle le restera tant que nous n'aurons pas tranché dans le vif du sujet.

C'est parce que la société canadienne bilingue est un mythe que nous nous voyons forcés de trancher la question à l'intérieur du Québec.

Si les Anglais du Canada n'avaient pas été et n'étaient pas encore d'aussi virulents racistes, la plupart d'entre nous continueraient sans doute de croire au bilinguisme aussi bien au Québec que dans le reste du Canada.

Mais c'est parce que nous constatons que le génocide a presque été consommé dans le reste du Canada que nous réagissons pour empêcher qu'il se produise en nos murs.

C'est pourquoi, depuis quelques années, l'histoire nous force à la décision.

Nous faisons souvent l'erreur de croire que, quand nous légiférons dans le domaine de la langue, c'est pour les Anglais que nous le faisons.

Nous le faisons d'abord pour nous-mêmes. C'est pour nous imposer d'abord à nous-mêmes des règles de conduite, sans lesquelles notre servilité aurait vite fait de reprendre le dessus.

Autrement dit, nous ne légiférons pas contre les Anglais, ou pour les touristes, mais pour la majorité d'une population qui ne peut pas autrement s'imposer sa propre langue.

Il est dommage que, ce faisant, nous ayons trop souvent l'impression de nous imposer une langue morte ou une langue qui nous enferme à jamais dans nos frontières.

Or, le français reste la deuxième langue internationale du monde et si nous sommes isolés en Amérique du Nord, nous ne le sommes nullement dans le monde.

Mais cela, on nous le cache d'autant plus volontiers qu'on s'acharne à répandre des mythes propres à nous faire croire le contraire.

Quand on nous dit, par exemple, qu'il nous faut tous connaître l'anglais pour faire affaire avec les Américains, nous tombons dans le délire le plus incongru.

Quand je donne des conférences, je m'amuse à poser la question suivante à mon auditoire : « Quels sont ceux qui, parmi vous, faites affaire avec les Américains ? » Jamais une seule main ne s'est levée et c'est le rire généralisé qui tient lieu de réponse.

La vérité, c'est qu'à peu près personne ne fait affaire avec les Américains.

Allons-nous forcer tout un peuple à se bilinguiser de force sous prétexte que, ici comme ailleurs, une petite minorité de gens devront connaître l'anglais pour vendre leurs cornichons à Chicago ?

Il y a quand même plus de deux millions de Québécois francophones qui parlent anglais ! C'est beaucoup !

Et c'est tellement plus, proportionnellement, que ce que l'on trouve ailleurs.

Qui, des Japonais ou des Québécois, fait le plus d'affaires avec les Américains ? La réponse va de soi.

Or, il n'y a que 1,4 % de la population japonaise qui parle anglais, soit près de deux millions d'habitants.

On n'a jamais pensé angliciser tout le Japon parce qu'une poignée de gros bonnets veulent forcer l'Amérique à rouler en Toyota !

Dans tous les pays du monde, on a besoin d'une minorité de gens qui parlent d'autres langues pour entretenir des relations politiques, économiques ou culturelles avec l'étranger ou pour les mieux accueillir chez soi.

Cela se fait tout naturellement pendant que la majorité peut continuer de vaquer à ses occupations, gagner sa vie et dépenser son argent dans sa propre langue.

Ce qui n'empêche nullement les gens d'apprendre autant de langues qu'ils le veulent pour leur propre plaisir.

Qu'on me comprenne bien : il n'est nullement question de nier l'importance qu'a prise l'anglais dans le monde. Il ne s'agit pas non plus de refuser à l'anglais la place de langue seconde qu'il devrait avoir chez nous.

Il s'agit seulement de le confiner justement dans ce deuxième rôle et d'éviter que, sous les plus fallacieux prétextes, on finisse par lui donner la première place même chez nous.

Quand on sait qu'aujourd'hui l'anglais est encore la première langue du travail pour des milliers de Québécois francophones et allophones, on serait malvenu de nous reprocher de vouloir inverser la situation.

Ce ne sont pas les méchants séparatistes qui ont affirmé jadis que le Québec devrait être aussi français que l'Ontario est anglais.

Admettez qu'il reste du chemin à faire.

Nous devons prendre une décision encore une fois.

Ce pourrait être la dernière si nous avions le courage politique de nous brancher une fois pour toutes.

Il est beaucoup plus facile d'imposer une langue qu'on ne le pense communément.

La preuve ? Nous l'avons fait en 1977 par la loi 101.

En moins de 24 heures, la situation linguistique du Québec avait changé du tout au tout.

Cent mille Anglais sont partis ? La belle affaire ! Nous n'allons quand même pas pleurer sur leur sort quand nous savons que c'est plusieurs millions de francophones qui ont quitté le Québec au cours du siècle dernier pour aller se faire assimiler de force aux États-Unis et au Canada anglais.

Mais la loi la plus populaire des 20 dernières années s'est vite vue attaquée de toutes parts et de grands morceaux en ont été littéralement foulés aux pieds par quelques juges dont l'opinion personnelle a prévalu sur celle de la grande majorité des Québécois et de son Assemblée nationale légitime.

Les Anglais comptaient sur la défaite du Parti québécois pour revenir à leurs bonnes vieilles habitudes et à leurs privilèges deux fois séculaires.

Ils ont failli réussir. Robert Bourassa le leur avait promis.

Quelle douloureuse erreur historique !

Si, en prenant le pouvoir, M. Bourassa avait clairement déclaré que la loi 101 était là pour rester et qu'on allait même la renforcer, le problème aurait été réglé pour toujours.

En effet, les Anglais auraient alors compris que le Québec français n'était pas que l'affaire d'un méchant gouvernement séparatiste qui allait faire son temps, mais qu'il était désormais devenu l'affaire de tous les gouvernements, de quelque couleur qu'ils soient, qui allaient se succéder au Québec.

Autrement dit, le Québec français était devenu l'affaire d'une grande majorité des Québécois et il fallait en prendre bonne note.

Hélas ! ce n'est pas ce que fit M. Bourassa.

Il laissa traîner les choses et permit aux Anglais de croire qu'ils avaient eu raison d'attendre et que la loi 101 n'avait été qu'un mauvais cauchemar.

La situation a continué de se dégrader jusqu'à l'adoption de la loi 178, qui non seulement n'a pas arrangé les choses mais a mis le feu aux poudres.

Tout le monde est contre et pour cause. Les francophones y voient un recul parce que la loi 178 augmente l'aire de l'affichage bilingue.

Les Anglais y voient un recul parce que M. Bourassa leur avait promis davantage. Mais ils y voient aussi autre chose de bien plus important et c'est ce qui sème la panique dans leurs rangs.

Sans s'en apercevoir, M. Bourassa a confirmé, ne fut-ce que partiellement, le Québec unilingue français. En confirmant l'unilinguisme français à l'extérieur des commerces, il a prolongé l'affirmation d'une politique « séparatiste » sur laquelle le Québec ne reviendra plus jamais.

Autrement dit, il existe maintenant une aire unilingue française au Québec, si restreinte soit-elle, et aucun gouvernement n'osera plus jamais revenir là-dessus.

C'est ce que les Anglais ont bien compris. Le message est clair : le français peut encore avancer, il ne peut plus reculer.

Dommage que M. Bourassa ne soit pas allé plus vite et plus loin. Le débat sur la langue serait aujourd'hui enterré. Mais il n'a pas compris, comme à son habitude quand il s'agit de la question linguistique. Il s'empêtre dans les « droits fondamentaux » ou les « droits historiques ». Il pleure sur la vieille dame anglaise qui n'a pas su apprendre le français depuis sa naissance au Québec, il y a 100 ans. Il scrute les sondages. Il compte ses votes. Mais il ne gouverne pas.

C'est pourquoi nous radotons.

C'est pourquoi ce maudit débat traîne encore dans le paysage et c'est pourquoi une grande partie de nos immigrants continuent de passer à l'anglais parce que le *boss* de la *shop* où ils travaillent le leur impose.

Il est pourtant facile d'imposer sa langue : nous l'avons fait une fois.

Il faut le refaire encore une fois, c'est une priorité. Espérons que cette fois sera la bonne.

Notre langue. Quelle langue ?

De tous les peuples qui parlent français, nous sommes le seul à ne pas être compris par les autres. Les Français comprennent les Sénégalais, les Haïtiens n'ont pas de problème de langue à Bruxelles, les Algériens doivent causer en arabe s'ils veulent garder quelque secret quands ils sont à Genève. Bref, tous les francophones du monde se comprennent entre eux, y compris ceux pour qui le français n'est pas la langue maternelle.

Quant à nous, aussi bien à Paris qu'à Kinshasa, il nous faut les sous-titres ou la traduction... en français.

Nous avons tôt fait d'accuser tout le monde de nous en vouloir et de nous mépriser, de ne pas faire envers nous les efforts que nous consentons de notre côté, d'être à la fois snobs et de mauvaise foi.

C'est vite dit. Avouons-le, c'est parfois un peu vrai. Mais c'est trop vite dit parce que, quel que soit notre bon droit, il y a comme un problème.

Notre langue, comme disait Vigneault, n'est pas châtiée, elle est punie. Nous connaissons la cause du problème et nous n'avons pas à nous excuser d'avoir subi une situation historique difficile qui aurait cloué au plancher n'importe quel peuple moins vaillant. Au contraire, nous pourrions défier quiconque d'en faire autant.

Cela dit, aujourd'hui, malgré un net progrès chez les jeunes en particulier, le problème reste entier et nous ne pourrons pas éternellement invoquer les plaines d'Abraham pour justifier notre incroyable laxisme en matière de langue. Bien sûr, la situation est encore difficile. Bien sûr, il faudrait adopter des politiques beaucoup plus vigoureuses pour enfin donner au français toute la place qui lui revient. Bien sûr, nous devons le mieux enseigner dans les écoles. Mais tout cela ne voudra rien dire *tant que nous n'aurons pas décidé de parler français.*

Autrement dit, tant que nous persisterons à parler joual ou « québécois » (si cela veut dire quelque chose) sous prétexte de nous distinguer des Français et d'affirmer notre originalité, nous ne ferons que nous enfermer encore plus dans nos frontières provinciales et on continuera de nous traduire en français, malgré nos virulentes et infantiles sorties « anti-impérialistes ». D'ailleurs, on finira peut-être par s'en lasser et on finira bien un jour par nous refuser l'appellation de peuple francophone.

Nous avons la chance extraordinaire d'appartenir à une langue internationale mais nous lui préférons un dialecte parlé par moins de six millions de personnes. Que dire des immigrants de bonne volonté, qui veulent bien adopter une langue qui leur servira aussi bien ici qu'en dehors de nos frontières mais à qui nous proposons trop souvent un sabir qui ne leur sera pas de plus d'utilité que l'oubkir.

Les gens qui pontifient sur la mauvaise qualité de notre français en oubliant d'en expliquer les causes historiques et en refusant de prendre les moyens nécessaires pour lui permettre de vivre et de s'épanouir normalement me désespèrent. Ils parlent d'une abstraction, d'une simple vue de l'esprit. Une langue vit de sa nécessité ou périt de son inutilité. Il est donc vrai que la qualité du français au Québec dépend directement de la nécessité qu'on a de le parler en tout temps et en tous lieux.

Me désespèrent également les gens qui, de la même façon, privilégient nos dialectes au détriment d'une langue correcte et compréhensible de par le monde.

Les Zaïrois qui parlent un français correct peuvent décrire en français une réalité qui leur est propre et qui les distingue sans conteste des Français ou des Québécois. De la même façon, les Américains qui parlent un anglais correct n'ont aucune difficulté à décrire, dans cette langue, un continent qui ne ressemble en rien à la vieille Angleterre. Nul ne s'y trompera.

Autrement dit, on n'a pas besoin de réinventer l'instrument chaque fois qu'on veut décrire une réalité différente ou chaque fois qu'on veut se démarquer de la « métropole ».

On peut jouer Ravel ou Mozart sur le même piano sans craindre de les confondre.

Cet anticolonialisme est infantile. Il nous interdit de posséder l'instrument le plus perfectionné qui soit pour nous exprimer, il nous empêche de nous comprendre entre nous et, de plus, il nous enferme dans la tribu au lieu de nous ouvrir à un instrument de communication international et vivant.

Bien sûr, les Américains parlent aussi mal que nous et eux aussi font des films en *slang*. Mais ils sont assez puissants pour forcer tous les anglophones du monde à les comprendre. Ils sont assez forts pour imposer leur langue, si minable soit-elle. Tant mieux pour eux et tant pis pour la langue anglaise !

Ce n'est pas notre cas. Nous n'imposerons jamais le québécois aux peuples francophones du monde et cela pour des raisons évidentes. Alors, cessons de rêver à ce projet délirant et conformons-nous à un usage qui, loin d'être inférorisant comme certains voudraient nous le faire croire, nous permet au contraire de nous donner la force du nombre, celle qui nous fait si cruellement défaut quand nous nous enfermons dans nos patois.

Nous ne sommes pas loin de l'imposture quand nous affirmons que nous sommes le seul peuple français d'Amérique du Nord. Je le répète, si on doit nous traduire en français c'est qu'il y a comme un problème...

Doit-on pour autant sacrifier tout ce qui fait l'originalité de notre langue ? Bien sûr que non. Nous avons le droit nous aussi de créer des mots et d'inventer des expressions qui peuvent enrichir le tronc commun. Mais, entre francophones du monde entier, c'est le tronc commun qui doit rester la norme. Autrement, aussi bien parler le norvégien ou l'inuktitut. Ce sont des langues respectables, mais qu'il faut toujours traduire quand on veut les exporter.

La vérité, c'est que nous préférons un patois limité que nous connaissons à une langue internationale et complexe que nous ne connaissons pas.

Comme disait Picasso : « Ça s'apprend. »

L'intégration des immigrants

Nous sommes souvent xénophobes et je le déplore amèrement. Mais je suis tanné de me le faire dire par ceux-là mêmes qui affichent le plus profond mépris envers le Québec et les Québécois.

Autrement dit, nombre d'immigrants sont bien plus xénophobes que moi, mais je n'ai pas le droit de le dire.

Quand je lis les statistiques, je constate que 27 % seulement des Grecs du Québec parlent français. La plupart des autres parlent grec et anglais. Quelques-uns parlent cinq, six, sept ou huit langues mais, comme par hasard, ils ne parlent pas la mienne.

Mais je n'ai pas le droit de dire qu'ils nous méprisent et qu'ils sont xénophobes. C'est moi qui suis intolérant, c'est moi qui les accueille mal, c'est moi qui suis sans cœur et dénaturé, c'est moi qui ne comprends pas les difficultés dans lesquelles se trouvent ces gens, c'est moi qui suis bête et méchant et c'est à moi qu'on dira de « retourner en France si je veux parler français ».

Je parle des Grecs ; je pourrais parler des Italiens.

Nous avons longtemps et stupidement fermé nos écoles catholiques à ceux qui ne l'étaient pas. Mais qu'en est-il des Italiens, en grande majorité catholiques ?

Eh bien ! jusqu'à la promulgation de la loi 101, 90 % des enfants italiens se retrouvaient dans les écoles anglaises du Québec. Sans eux, le réseau anglais des écoles catholiques du Québec aurait pratiquement disparu.

J'ose le dire et je suis le pire des xénophobes. Parce que je n'ai pas compris, comme certains me le font remarquer, qu'« ils sont venus au Canada et en Amérique du Nord, pas au Québec ».

Je pourrais aussi parler des Irlandais. C'est avec une générosité sans borne qu'ils ont été accueillis par les Québécois, il y a de cela quelques décennies. Nombre d'entre eux se sont intégrés, par la force des choses, à la communauté québécoise. Mais, parmi les autres, il en est un bon nombre qui nous chient sur la tête depuis ce temps-là. Bons catholiques pourtant...

Si j'ose le dire, je m'accuse moi-même de tous les vices.

Je pourrais parler des Allemands, des Portugais, des Polonais, des Hongrois... mais à quoi bon ?

Ce que je veux dire, et ce que je dis, c'est que si nous avons des devoirs envers les immigrants et les réfugiés qui nous arrivent, ils ont aussi des responsabilités envers nous.

Ce que je veux dire, et ce que je dis, c'est que notre xénophobie, si coupable et si déplorable qu'elle soit, est souvent provoquée par la xénophobie et le mépris des nouveaux arrivants envers nous.

Ce que je veux dire, et ce que je dis, c'est que je ne suis ni xénophobe ni raciste, mais qu'il me faut faire un effort considérable pour ne pas le devenir quand je vois, dans un restaurant, 12 serveuses de langue française forcées de parler anglais avec le laveur de vaisselle parce que monsieur, arrivé ici depuis deux ans, ne baragouine que l'anglais. (N'accusez pas les serveuses : le *boss* ne parle qu'anglais lui aussi, et elles n'ont pas les moyens de perdre leur *job*.)

Je ne veux pas excuser notre xénophobie. Mais la générosité qu'on réclame de nous, et à bon droit, peut rapidement se transformer en bêtise si elle doit faire de nous les dindons de la farce ; ce serait bêtise de nous laisser accuser de tous les vices sans que nous ayons le droit de dénoncer la xénophobie virulente de certains immigrants et de nous en défendre.

« Si nous voulons que les immigrants s'intègrent à notre culture, répètent certains, il faudra que nous soyons plus attirants, plus séduisants. »

Mais que leur faut-il, grand Dieu ! Voilà qu'ils vivent au milieu d'une des cultures les plus vivantes au monde, dans un bouillonnement de créativité hors du commun, tout cela soutenu par des médias de qualité et omniprésents, et ils ne sont pas séduits ?

Ils ne le sont pas, en effet, parce qu'ils ne nous voient pas. Ils ne regardent pas notre télévision, ils n'écoutent pas notre radio, ils ne fréquentent pas nos théâtres, et ils ignorent tout de Félix Leclerc, de Claude Dubois, de Ginette Reno ou de Diane Dufresne. Ils ne lisent pas nos journaux et nos magazines, et ils ne se joignent qu'en petit nombre à nos partis politiques.

Pour être séduits, encore faudrait-il qu'ils reconnaissent notre existence.

Mais il y a ce maudit multiculturalisme, cette invention fédéraliste qui n'avait pour but que de faire des Canadiens français une minorité parmi toutes les autres. C'est réussi, merci.

C'est si réussi que nombre d'immigrants entretiennent farouchement leur langue et leur culture comme s'ils n'avaient jamais quitté leur pays d'origine.

Montréal n'est pas une ville intégrée, c'est une ville de ghettos culturels : ghettos italien, grec, juif, portugais, anglais, chinois, et j'en passe.

Dans chacun de ces ghettos, on vit sa culture dans sa langue propre, et parfois en anglais, mais on se fout littéralement de la culture québécoise et de la langue de la majorité.

Chez les Grecs, on s'excite beaucoup plus sur l'équipe de soccer d'Athènes que sur les Canadiens de Montréal, et les seules élections qui les intéressent vraiment et dont on discute dans tous les cafés et restaurants, ce sont celles qui se déroulent en Grèce ou aux États-Unis.

Chez les Juifs de Hampstead, on discute ardemment, et en anglais, de la politique israélienne, on est prêt à défendre de tout son argent l'indépendance d'Israël (on ne va quand même pas jusqu'à s'y établir), mais la liberté québécoise répugne ; on se sent beaucoup plus solidaire des Juifs de New York ou de Los Angeles que de ces quelques millions de Franco-Québécois qui s'acharnent à vouloir vivre en français chez eux. Quand on voit les Juifs monter sur les barricades, c'est parfois pour défendre leur spécificité juive, mais le plus souvent c'est pour défendre la langue qu'ils ont adoptée en arrivant ici : l'anglais.

Chez les Indiens, chez les Portugais, chez les Pakistanais, chez les Italiens et chez tous les autres, la culture d'origine a préséance sur la culture du pays d'accueil. Et si on a le malheur de passer une remarque, on se fait traiter de fanatique. Si on ose, oh ! combien timidement, leur rappeler qu'ils sont ici chez nous et qu'ils devraient commencer à nous regarder avec un peu moins d'indifférence, on ne récolte que plus d'indifférence encore, souvent teintée de mépris.

Comparez Montréal et Toronto. Il y a beaucoup plus d'immigrants de fraîche date à Toronto qu'à Montréal. Et pourtant, ils s'intègrent beaucoup plus facilement à Toronto qu'à Montréal. Le dénominateur commun y est imposé : c'est l'anglais. On n'a même pas besoin de loi spéciale pour ce faire, puisque c'est la langue de l'Amérique du Nord. De plus, les immigrants peuvent y vivre leur rêve américain dans toute sa pureté, puisqu'il y a fort peu de différence entre Toronto et Chicago ou Los Angeles. C'est une ville américaine, tout s'y passe en anglais et on n'est pas embêté par ces lois linguistiques tatillonnes qui assombrissent le beau paysage multiculturel montréalais.

À Toronto, le multiculturalisme c'est du folklore. On résiste pendant une ou deux générations et puis on s'intègre par la force des choses. À Montréal, le multiculturalisme c'est la tour de Babel et c'est la consécration de toutes les cultures au mépris de la culture de la majorité.

« Nous sommes tous des immigrants », proclame-t-on.

Il faut entendre par là que nous sommes tous sur un pied d'égalité et que personne ne doit s'intégrer à personne. Nous tombons facilement dans ce piège.

C'est pourtant complètement faux.

Nos ancêtres ont été des immigrants, mais nous ne le sommes pas nous-mêmes et cela depuis fort longtemps. Nous sommes des autochtones, au même titre que ceux à qui on donne ce nom. On n'est pas immigrant de génération en génération, et il faut bien accepter, un jour, d'être du pays.

Combien faut-il de temps à un immigrant pour ne plus se considérer comme tel et être « du pays » ? Vingt ans ou vingt-quatre heures, ça dépend. Ça dépend un peu beaucoup de la volonté qu'on a d'y arriver.

Je l'ai dit mille fois, et je le répète encore : est québécois celui qui accepte de l'être. Il ne suffit pas de vivre sur le territoire québécois, il faut s'intégrer au Québec.

Quand Athènes ou Rome ou Jérusalem ou Lisbonne passe avant Québec, on n'est pas québécois.

Qu'on me comprenne bien : je ne veux pas qu'on oublie Athènes ou Rome ou Jérusalem ou Lisbonne, je veux tout simplement que le Québec soit la première préoccupation de tous les citoyens québécois. J'ai la même exigence envers les Franco-Québécois de souche : c'est Québec avant Paris, et c'est Montréal avant Miami, et c'est Bourassa ou Parizeau ou Michel Tremblay avant Bush, Rambo ou Spielberg.

Qu'on n'essaie surtout pas de me faire le coup du citoyen du monde. Ça n'existe pas. On est de quelque part ou on n'est pas.

L'intégration nécessaire, tout cela passe par une langue et une culture. Et si nous devons l'imposer par des lois, eh bien ! soit.

Je ne me sens nullement humilié d'imposer ma langue à qui je reçois chez moi. Cela n'est ni anormal ni extrémiste. C'est ce qui se passe dans le monde entier. Et personne ne trouve à y redire. Pourquoi serions-nous les seuls à tolérer l'intolérable ? Pourquoi serions-nous les seuls à nous laisser écraser les pieds par n'importe quel nouveau venu méprisant qui voudrait nous imposer sa loi à lui ?

On se tue à répéter des évidences : il n'y a pas de menu ou d'affiche en français à Athènes, à Milan ou à Lisbonne. Et cela est parfaitement normal. Et si les Israéliens ont compris qu'il fallait imposer l'hébreu chez eux, justement pour amoindrir les problèmes d'intégration, je ne vois pas en quoi il serait criminel d'imposer le français chez nous.

Normalité chez vous, anormalité chez nous ? Mon œil !

Nous sommes généreux, et gentils, et tolérants, et vous le savez mieux que personne, vous qui souvent avez fui les intolérances de vos pays d'origine. Et ne faites surtout pas semblant de ne pas vous en apercevoir.

Je suis en faveur d'une immigration massive au Québec.

À la condition expresse que les immigrants s'intègrent à la communauté francophone du Québec.

Ils devraient le savoir avant de partir, et ils devraient y être obligés en arrivant.

Je le répète pour la millième fois : je me fous totalement de l'origine des Québécois. Je ne veux pas savoir d'où l'on vient mais où l'on va ensemble.

Je refuse de me faire assimiler par les immigrants, si démunis, si mal en point ou si xénophobes qu'ils soient.

On ne m'aura plus par la pitié et par les appels à la générosité. J'ai déjà donné, merci.

Cela dit, et une fois cet accès de colère passé, regardons les choses en face et voyons où nous péchons nous-mêmes.

Tout le monde sait que le facteur d'intégration par excellence, dans n'importe quelle société, c'est la langue. Le dénominateur commun.

Une société métissée est plus forte qu'une société qui ne l'est pas, mais encore faut-il qu'elle n'éclate pas, que les forces centrifuges ne la fassent pas exploser en tous sens. Les apports étrangers sont une richesse incommensurable à condition d'être intégrés dans le corps principal.

La langue comme facteur d'intégration est l'apanage de toutes les sociétés métissées. La France est métissée, mais tout le monde y parle français. L'Espagne est métissée, mais tout le monde y parle espagnol. Les États-Unis sont métissés, mais tout le monde y parle anglais, et quand ce n'est pas le cas, comme en Californie ou en Floride, les Américains se font fort d'imposer l'anglais par des lois coercitives.

Le Canada anglais est métissé, mais tout le monde y parle anglais.

Le Québec a d'abord été français. Puis le conquérant nous a imposé l'anglais. Le Québec fut donc bilingue pendant près de 200 ans et il le reste encore aujourd'hui.

Tant pis pour nous si nous ne savons pas nous brancher.

Il arrive souvent, hélas ! que nous fassions notre propre malheur et que les attitudes négatives que les immigrants entretiennent envers nous dépendent largement de nos propres faiblesses ou erreurs.

Il serait temps que nous décidions ce que nous voulons, une fois pour toutes. D'abord pour nous-mêmes, puis ensuite pour en informer les autres.

Mais, depuis 30 ans, nous avons si souvent changé de politiques linguistiques et nous avons

envoyé aux immigrants tant de signaux contradictoires que nous avons sombré, avec eux, dans
la confusion la plus totale.

Début des années soixante : c'est le laisser-
faire général et l'unilinguisme anglais règne en
maître partout au Québec.

Puis les choses s'accélèrent : loi 63, loi 22, loi
101, révisions de la loi 101, amnistie des illégaux,
proclamations répétées de la société multicultu-
relle, jugements de cour invalidant des parties de
la loi 101, loi 178, retour à la bêtise nationale
généralisée.

Si j'étais immigrant, je me demanderais
sérieusement dans quel piège on m'a fourré. Et
sans doute n'aurais-je, moi aussi, que mépris pour
cette société qui ne sait pas ce qu'elle veut.

Soyons francs : les immigrants s'assimileront
à nous quand nous les forcerons à le faire. Autrement dit, quand nous serons nous-mêmes décidés
à faire le nécessaire.

Nous avons un peu commencé, mais il est
évident que cela reste confus et que nous n'allons
pas assez loin.

Pourquoi ? Pour une seule et unique raison :
les Anglais du Québec. Le problème serait réglé
depuis longtemps si nous n'avions pas si peur
d'eux. Une peur que nous déguisons de toutes les
façons possibles : droits historiques, libertés individuelles, liberté d'expression, liberté commer-

ciale, anglais langue internationale, anglais langue du commerce, pauvres Anglais martyrisés, etc.

Prétextes que tout cela. La vérité, c'est que nous avons peur.

C'est pourquoi plus personne ne sait sur quel pied danser.

Voyez l'immigrant turc qui arrive à Montréal. Dans la famille, on parle déjà une langue : le turc. Les enfants sont forcés d'aller à l'école française. Le père doit parler anglais pour travailler dans la *shop* qui l'exploite et où le patron ne parle qu'anglais. La mère reste à la maison et continue de ne s'exprimer qu'en turc.

C'est magnifique ! direz-vous, on parle trois langues à la maison.

Mais on ne peut en parler qu'une à la fois. Ce sera laquelle vous pensez ?

C'est toujours une entreprise dramatique que de laisser son pays pour en adopter un autre. Le sort des immigrants, de tout temps et en tous lieux, a toujours été précaire et traumatisant.

Que faisons-nous pour les aider à s'adapter ? Nous les plongeons la tête la première dans notre schizophrénie commune et nous les intimons de nous choisir, nous les francophones, si beaux et si fins, pendant que l'argent leur impose la langue et la culture anglaises.

Cette façon de faire est non seulement extrêmement cruelle envers les immigrants, mais elle nous fait à nous également un tort irréparable.

S'il y a des immigrants qui nous méprisent et qui refusent de s'intégrer, il y en a aussi des milliers qui ne demandent pas mieux que de nous rejoindre dans le creuset commun.

Creuset, avez-vous dit ? Où ça ?

En anglais : *melting pot.*

Tiens ! voilà le grand mot lâché.

On nous a assez répété, depuis le temps, que le Canada n'était pas un *melting pot* comme les États-Unis que nous avons fini par le croire.

Mais la vérité est tout autre. Le Canada anglais est un *melting pot* et il n'y a que le Québec qui ne le soit pas.

On annonce une politique pour l'ensemble du pays et c'est le Québec qui en fait les frais.

Pourquoi pas le *melting pot* ? Pourquoi pas le creuset ?

Toujours la même raison : les Anglais du Québec.

Eux, qui acceptent si facilement le *melting pot* nord-américain qui intègre de force tout ce qui n'est pas anglais, le refusent au Québec justement parce qu'il n'est pas anglais.

Et nous avons donc peur d'imposer notre langue, non pas parce que nous croyons ainsi faire de la peine aux immigrants mais parce que nous devons tenir compte des « droits légitimes » de nos Anglais.

Or, nos Anglais, pour toutes les raisons qu'on connaît, ont toujours assimilé et continuent d'assimiler encore une grande partie des immigrants qui devraient s'intégrer à notre communauté francophone.

Forcés de choisir entre eux et nous, les immigrants, pas fous, choisissent massivement la langue de l'Amérique du Nord dès qu'ils ne sont pas forcés de choisir la nôtre.

Imaginons un seul instant qu'il n'y ait pas un seul Anglais au Québec. Nos problèmes d'intégration seraient depuis longtemps résolus. Par la force des choses.

Mais nous ne pouvons que l'imaginer. Nos Anglais sont là pour rester et il faut faire avec, comme on dit.

Faire avec, ça veut dire les accepter tels qu'ils sont, avec leur langue, leurs institutions et leur histoire.

Mais c'est aussi faire des lois qui vont imposer le français pour suppléer au pouvoir d'attraction évidemment considérable de l'anglais en Amérique du Nord.

Ce n'est pas une question de choix. Cela, nous l'avons à peu près compris. Mais nous hésitons encore, nous tergiversons, nous nous enfargeons dans les fleurs du tapis, et nous allons par quatre chemins là où il faudrait aller directement et d'une seule traite.

Intégrer les immigrants, c'est d'abord les intégrer à une langue. Le reste prendra le temps qu'il faudra. Cela veut dire imposer l'unilinguisme français partout en dehors des institutions proprement anglaises, qui ne desservent, en principe, que la communauté anglaise (écoles, collèges, universités, journaux, périodiques, radio, télévision, œuvres de charité, etc.).

Je trouve radine l'idée de faire de ces institutions des enclaves bilingues. Qu'elles soient anglaises totalement, cela ne me dérange nullement. Pourquoi le Dawson College devrait-il s'appeler aussi Collège Dawson et pourquoi devrait-on l'administrer aussi bien en français qu'en anglais ?

Mais, d'autre part, il faut être beaucoup plus sévère pour toutes les institutions qui font affaire avec les francophones ou avec les immigrants, ne serait-ce qu'à l'occasion. Tous les commerces, toutes les industries, grosses ou petites, toutes les municipalités, tous les services publics doivent être unilingues français. On ne doit pas avoir le choix d'y parler français ou anglais, pas plus qu'on a ce choix au Canada anglais.

Je vois deux exceptions : le gouvernement du Québec et la Ville de Montréal devraient pouvoir offrir des services en anglais à leurs populations anglophones.

De plus, on pourrait permettre l'affichage dans toutes les langues sauf l'anglais, comme on l'a récemment suggéré, à condition de respecter la prédominance du français.

Pourquoi ? Tout simplement parce que nous ne sommes pas menacés par le grec, l'italien, le portugais, l'espagnol, l'arabe ou l'hébreu. Nous ne sommes menacés que par l'anglais.

Cela crée deux sortes de citoyens ? Oui. Ayons la franchise de l'admettre et refusons de nous sentir coupables de ce faire.

Cela veut dire un renforcement considérable de la loi 101 (il faut évidemment jeter la loi 178 aux poubelles, comme le souhaitent une majorité de Québécois aussi bien anglophones que francophones).

C'est dans le domaine du travail que le bât blesse davantage. C'est là qu'il faut agir avec le plus de vigueur. Il est inacceptable qu'un *boss* anglais puisse imposer sa langue à tous ses employés, francophones comme allophones. Sa fonction ne doit pas lui permettre d'exploiter ainsi la situation à son avantage exclusif.

Je suis persuadé que M. Bourassa n'hésiterait pas une seconde à légiférer en ce sens s'il n'avait peur de perdre le vote des Anglais ou s'il ne craignait leur chantage à la fuite des capitaux.

Le problème, en ce domaine, c'est que nous ne légiférons pas en fonction des intérêts de la majorité et en fonction de l'intégration des immigrants, mais que nous le faisons l'œil collé sur la réaction des Anglais.

Le jour où nous accepterons de nous foutre de ce qu'ils pensent de nous, nous n'hésiterons plus alors à faire ce qui doit être fait.

Voyez la simplicité de cette politique linguistique. On n'a pas besoin d'une loi de 200 pages pour la mettre en œuvre. Mais c'est trop simple, justement, et on n'y trouve pas assez de toutes les exceptions qui ne sont pas, contrairement à ce qu'on veut laisser croire, l'effet de notre tolérance et de notre respect des libertés, mais l'effet de notre peur ancestrale de la normalité et de la légitimité universelles.

Il n'y a pas de solution magique à l'intégration des immigrants. Il y a la seule solution de l'unilinguisme français en dehors des institutions proprement anglophones.

Tout le reste n'est que bavardage, balourdise, peur et hypocrisie.

En terminant ce chapitre, je veux raconter une petite anecdote qui illustre fort bien mon propos sur la peur.

C'était pendant le deuxième mandat du Parti québécois. Les Juifs anglophones du Québec demandent alors au gouvernement de faire une exception pour permettre l'entrée au Québec de produits cascher libellés uniquement en anglais.

Ils arguaient qu'ils ne formaient qu'un petit marché, que la plupart de leurs produits venaient des États-Unis et que les Américains ne feraient pas les frais de les libeller en français, que c'était une affaire religieuse et que...

Craignait-on de passer pour antisémite ? Craignait-on de faire de la peine aux Juifs anglophones du Québec ? Toujours est-il qu'on a eu peur. Et en douce, sans que personne ne le sache, on amenda le règlement pour permettre que les produits cascher ne soient libellés qu'en anglais.

L'accroc était de taille puisqu'il remettait en cause non seulement la politique linguistique du Québec mais aussi celle d'Ottawa.

Mais cela va beaucoup plus loin car, ce faisant, on ignorait avec mépris tous les Juifs francophones du Québec, d'immigration récente, qui se voyaient ainsi privés du droit élémentaire de se procurer des produits cascher libellés en français.

Quand la liberté religieuse passe par l'imposition de l'anglais, on n'est pas loin de l'automutilation.

Non seulement on repousse les immigrants qui ne parlent pas français, mais on se fait fort, de plus, d'humilier ceux qui, en arrivant, parlent déjà français.

Il fallait le faire. Et nous l'avons fait.

Notre masochisme est sans limites.

La liberté d'expression

C'est au nom de la liberté d'expression que les Anglais du Québec et le Parti libéral de M. Bourassa réintroduisent chez nous l'affichage bilingue.

C'est au nom de cette même liberté d'expression que les juges de la Cour suprême du Canada ont invalidé des articles de la loi 101 qui faisaient du français la seule langue d'affichage au Québec.

J'avoue ne pas comprendre. Pour ma part, j'ai toujours cru que la liberté d'expression avait un sens très précis, soit celui d'avoir la liberté d'exprimer des opinions.

Je trouve aberrant qu'on réduise cette noble intention à la liberté qu'on aurait de traduire un slogan publicitaire ou une simple affiche commerciale.

Les pays totalitaires ne connaissent pas la liberté d'expression, parce qu'on y interdit la liberté d'afficher des opinions.

Nul ne songerait à affirmer que les Chiliens ont enfin reconquis leur liberté d'expression parce que Pinochet a décidé qu'ils pourraient désormais traduire leurs panneaux-réclames dans toutes les langues.

C'est pourtant ce glissement de sens vicieux qu'on tente de nous faire avaler au Québec.

Avoir le droit d'écrire « *Italian cuisine* » à côté de « Cuisine italienne », cela relève-t-il de la liberté d'expression ? Évidemment pas.

Avoir le droit d'afficher « *The Queen Elizabeth* » au-dessus ou au-dessous de « Le Reine-Élisabeth », cela relève-t-il de la liberté d'expression ? Absolument pas.

Avoir le droit de traduire « Fleuriste McKenna » par « *McKenna Florist* », cela relève-t-il de la liberté d'expression ? Certainement pas.

Or, c'est de cela et de cela seulement qu'il s'agit.

Je trouve parfaitement odieux qu'on tente de nous faire croire que les Franco-Québécois ne respectent pas la liberté d'expression des Anglo-Québécois.

C'est faux. Archi-faux.

Les Anglais du Québec peuvent exprimer toutes leurs opinions, en toute liberté et dans leur langue, partout où ils se trouvent au Québec, dans toutes leurs stations de radio et de télévision, dans tous leurs journaux et magazines, dans toutes leurs réunions, publiques ou privées, dans toutes leurs institutions d'éducation et de santé, à l'Assemblée nationale du Québec et au parlement d'Ottawa, dans toutes nos cours de justice, dans la rue, au travail, dans les églises, dans les synagogues et dans les centres sportifs.

Aucune loi ou aucun règlement ne vient entraver ou réduire leur liberté d'expression. Celle-ci est totale. Et c'est dans leur langue qu'ils ont la liberté de nous insulter si le cœur leur en dit.

Si je vais en Grèce, en Italie, en Allemagne ou aux États-Unis, je ne me plains pas d'être privé de ma liberté d'expression quand je ne trouve pas de panneaux-réclames rédigés en français.

Pourtant, dans tous ces pays, j'ai le droit d'exprimer mes opinions sans subir les foudres de la justice.

Autrement dit, on peut trouver commode ou galant de traduire en anglais le menu d'un restaurant qui reçoit des touristes américains mais, de grâce, qu'on ne vienne pas me dire que c'est au nom de la liberté d'expression qu'on nous permettra de le faire.

On peut vouloir améliorer la sécurité des touristes anglophones qui nous visitent en leur traduisant « centre-ville » par « *downtown* » mais, admettons-le, ça n'augmente pas beaucoup leur liberté d'expression.

(Qu'il me soit permis à ce propos de souligner que nous, francophones du Québec, nous nous soucions beaucoup plus de la sécurité de tous les touristes anglophones de l'Amérique du Nord qu'on se soucie de la nôtre au Canada ou aux États-Unis. Les Anglais présument sans doute qu'un Québécois qui sort de chez lui n'a pas le droit de ne pas connaître la langue anglaise.)

À vrai dire, toute cette affaire sent mauvais.

Elle pue à plein nez notre servilité devant l'arrogance et le mépris des Anglo-Québécois.

Nous sommes serviles parce qu'ils sont arrogants et méprisants, et ils sont ce qu'ils sont parce que nous sommes serviles.

Pendant ce temps, M. Bourassa se vante d'être « le premier à avoir brimé des droits fondamentaux pour protéger la langue et la culture françaises ».

Après cela, il se plaint de n'être pas compris au Canada anglais ! Il fournit toutes les munitions aux adversaires et s'étonne ensuite qu'on lui tire dessus !

Ou bien M. Bourassa ne sait pas ce que sont les droits fondamentaux, ou bien il dit n'importe quoi pour se protéger du côté des nationalistes.

Les glissements dans le sens amènent les glissements dans la réalité.

La visibilité des Anglais

Quand les Anglais du Québec n'essaient pas de nous culpabiliser avec « leur » liberté d'expression, ils se plaignent de ne plus être visibles depuis que l'affichage se fait en français.

Nous avons honte d'eux, disent-ils, puisque nous ne voulons pas qu'ils soient vus !

Quel culot ! Quelle farce !

Pas visibles, les Anglais du Québec ?

Il est pourtant facile de démontrer qu'ils le sont plus que nous.

À Montréal, où ils forment moins de 20 % de la population, ils ont accès à autant de radios anglaises que de radios françaises. De plus, la radio française peut faire tourner jusqu'à 45 % de musique anglaise alors que la radio anglaise n'est pas tenue de faire jouer de la musique française. Résultat : on entend plus de radio anglaise que française.

À la télévision, c'est encore pire. Une maison câblée, à Montréal, reçoit beaucoup plus d'émissions en anglais qu'en français.

Le cinéma présente beaucoup plus de films en langue anglaise que de films en langue française.

Les kiosques à journaux présentent 10 fois plus de magazines anglais que de magazines français.

Toutes les voitures, tous les appareils de télévision et de radio, de même qu'une grande partie des appareils électroménagers, sont libellés exclusivement en anglais.

La plupart des machines-outils ne fonctionnent qu'en anglais, de même que les robinets ou les commutateurs.

Dans le domaine des ordinateurs, on trouve 100 fois plus de logiciels en anglais qu'en français.

Les Anglais du Québec ont leurs propres médias, leurs propres maisons d'éducation de la maternelle à l'université. Proportionnellement, ils en ont plus que nous.

Ils ont aussi leurs propres institutions de santé.

Toutes leurs organisations religieuses ou charitables fonctionnent en anglais.

Ils ont accès, instantanément, à toutes les productions, de quelque nature qu'elles soient, en provenance des États-Unis et du Canada.

Dans nombre de compagnies québécoises, ils ne travaillent qu'en anglais.

À vrai dire, les Anglais sont beaucoup plus visibles que nous ne le sommes. Mais ils réussissent à nous faire croire que nous les cachons dans la garde-robe.

Mon Dieu ! qu'ils font pitié nos Anglais !

Le monde homogénéisé

Elle n'est pas finie la bataille de la langue, ni chez nous ni ailleurs dans le monde.

L'impérialisme de l'anglais s'attaque aux coins les plus reculés de la planète et il n'y a pas que la francophonie qui doive se sentir menacée.

À vrai dire, le français, langue internationale, est moins menacé que ne le sont ces centaines de langues nationales qui n'ont pas de réel rayonnement dans le monde : le danois, le norvégien, le turc, l'hébreu, le portugais, l'italien, le flamand, le vietnamien, l'ukrainien, et toutes les autres qui risquent de disparaître à plus ou moins court terme dans le maelström impérialiste anglais.

Certains le souhaitent qui croient que la tour de Babel n'a que des vices et que les gens se comprendraient mieux entre eux s'ils parlaient tous la même langue.

Je ne suis pas de cet avis car je crois que ce qui fait l'intérêt du monde, comme celui des individus, c'est la diversité. C'est leur dissemblance qui fait l'intérêt des cultures du monde, et leur homogénéisation nous ferait perdre une richesse incommensurable.

C'est pourquoi je dis qu'il est grand temps de mener le combat sur tous les fronts et que tous les peuples doivent prendre conscience, comme nous le faisons, de l'intérêt que nous avons tous de résister pied à pied.

L'histoire nous apprend que la plupart des langues ont résisté à tous les assauts et à toutes les conquêtes.

C'est au moment où notre peuple est de nouveau assailli de toutes parts que nous avons le devoir de défendre notre intégrité culturelle.

Ce n'est pas simple égoïsme ou nationalisme éculé. C'est toute la créativité des cultures originales qui est en jeu et, pour moi, cela importe plus que l'adoration servile de la barbarie américaine.

L'ensemble des civilisations vaut bien la civilisation McDonald, non ?

L'ÉDUCATION

Dans toutes les sociétés modernes, on s'entend pour faire de l'éducation une priorité permanente.

À l'intérieur même du système d'éducation des divers pays, par contre, on a souvent de la peine à définir l'objectif premier. L'éventail des connaissances s'étant considérablement élargi et l'école s'étant ouverte à des collectivités de plus en plus grandes, on a tendance à vouloir tout enseigner et on ne sait plus très bien distinguer l'essentiel de l'accessoire.

Quelle que soit la façon d'aborder les choses et quel que soit l'accent qu'on décide de mettre sur telle ou telle matière à tel ou tel niveau de scolarité, il demeure indispensable de donner l'absolue priorité à l'alphabétisation des élèves, car nous savons que les analphabètes seront impuissants toute leur vie alors que les alphabétisés auront les moyens, si le cœur leur en dit, de tout apprendre par la suite.

Parler, lire, écrire.

Voilà l'essentiel.

Bien sûr, les professeurs de toutes les matières voudraient bien voir la leur au sommet de l'échelle, mais, ce faisant, ils oublient qu'elle restera toujours incompréhensible à ceux et celles qui ne savent pas parler, lire et écrire.

Je l'ai déjà dit et je le répète aujourd'hui, les jeunes parlent mieux et plus abondamment que nous ne le faisions à leur âge.

Ils parlent davantage parce qu'ils ont acquis une liberté de parole que nous n'avions pas. Or, on a plus de chances de mieux parler quand on parle beaucoup que quand on doit se taire la plus grande partie de sa vie. D'autre part, les jeunes ont vécu dans un milieu beaucoup plus français que nous avons pu le faire. Le vocabulaire s'est enrichi considérablement, tout simplement parce qu'on entend le bon mot français plus souvent qu'autrefois là où, dans presque tous les domaines, c'est en anglais qu'on nommait la réalité.

Cela dit, la langue est un apprentissage infini et ce n'est pas parce qu'on a l'impression qu'elle nous vient tout naturellement qu'il ne faut pas continuer de l'apprendre.

Si on veut qu'il soit intéressant de le faire, il faudra bien sûr que la réalité qui nous entoure soit encore plus française qu'elle ne l'est actuellement et que, surtout, le marché du travail exige qu'on sache le français pour y occuper une place. Une langue doit être utile et nécessaire.

À l'intérieur du système d'éducation, il faudra y attacher plus d'importance. Au-delà de la qualité des cours, qui peuvent de toute évidence être améliorés, il y a la qualité des professeurs. Je serais porté à dire, en vérité, qu'elle est prioritaire. Tant que trop de nos professeurs se contenteront de parler une langue approximative, voire déficiente et vulgaire, nous ne pourrons pas nous attendre à ce que les élèves, privés d'exemples de qualité, fassent le moindre effort pour s'améliorer.

Si on peut devenir professeur en parlant un sabir tribal, on ne voit pas pourquoi on s'efforcerait d'apprendre une langue correcte.

Le joual le plus primaire continue de faire des ravages chez les professeurs à l'école, au collège et à l'université. Et nous tolérons cette situation comme si elle allait de soi. Il n'en est rien et, puisque les professeurs communiquent d'abord par la parole, on devrait faire de la qualité de la langue un critère d'admission à la profession. J'entends déjà qu'on jette les hauts cris en certains lieux. Les profs qui parlent mal veulent pouvoir continuer de le faire sans vergogne et à l'abri de leur convention collective. Mais je dis tout net qu'ils devraient être mis à la porte.

Je suis d'une grande tolérance envers ceux qui ne parlent pas bien et qui doivent à l'histoire de se trouver dans cet état. Mais je suis intraitable à l'égard de ceux qui font métier de parler et qui refusent d'apprendre à bien le faire, et je le suis tout autant à l'égard des pompiers, des avocats ou des mécaniciens.

La parole est l'instrument privilégié de la communication. Il est temps qu'on lui redonne, dans nos écoles, la place qui lui revient : la première.

En deuxième lieu, il faut que l'école apprenne à nos enfants à lire. C'est sans doute l'aspect le plus négligé de notre enseignement.

Quand je parle d'apprendre à lire, je parle d'apprendre à lire vite.

On se contente trop souvent d'enseigner aux enfants les rudiments d'une pratique qui ne leur permet même pas de lire en entier et en 15 minutes le *Journal de Montréal*. Toute la connaissance du monde se trouve dans les livres et ce n'est pas parce que nous manquons d'envie de l'y aller chercher que nous n'ouvrons jamais un livre, mais plutôt parce que l'exercice est si fastidieux qu'on décroche au bout de la première page.

Il est inutile de multiplier les matières au programme si, faute de savoir lire, les élèves ne peuvent même pas, par eux-mêmes, en découvrir les rudiments.

J'ajouterais encore que nos vieillards, parqués dans les asiles, seraient sans doute moins malheureux si on leur avait appris à lire étant jeunes. On ne va pas à l'école pour avoir du *fun* à 15 ans, mais pour avoir du plaisir à vieillir pendant le reste de sa vie.

C'est par la lecture (rapide) que se fait la véritable alphabétisation. Ajoutons que cela vaut dans tous les cas, y compris dans les domaines scientifiques. Les analphabètes ne font ni les grands écrivains ni les grands savants.

Il reste enfin l'écriture. On se surprendra de m'entendre dire que je n'y attache pas autant d'importance qu'on le fait communément.

Il faut savoir que, de tout temps, les peuples n'ont jamais su écrire. Aujourd'hui encore, la très vaste majorité de la population terrestre ne sait toujours pas écrire. Dans toutes les sociétés, et depuis toujours, l'écriture a toujours été affaire de spécialistes.

Bien sûr, la démocratisation de l'enseignement a voulu étendre à tous ce privilège autrefois réservé à quelques-uns.

L'intention est bonne et un certain progrès a été acquis en ce sens.

Il n'en reste pas moins que la plupart des gens, où qu'ils soient dans le monde, n'ont à peu près jamais besoin d'écrire, si ce n'est quelque note rudimentaire griffonnée à la hâte au conjoint ou à la conjointe pour lui apprendre qu'on ne rentrera pas dîner.

Je ne dis pas qu'il ne faut pas apprendre à écrire le mieux possible, ne serait-ce que « au cas où... ». Je dis qu'on ne doit pas s'alarmer autant que nous le faisons devant la pauvreté de l'écriture de nos enfants.

Je ne dis pas qu'il faut couper dans le temps d'enseignement de l'écriture, je dis qu'il faut en ajouter pour l'apprentissage de la parole et de la lecture qui sont devenues des besoins fondamentaux pour qui habite une société alphabétisée.

Encore là, je suis assez tolérant à l'égard des gens qui n'écrivent pas bien, mais je suis intraitable à l'égard de ceux et celles qui font métier d'écriture.

C'est pourquoi je dis que notre système d'éducation devrait se préoccuper davantage des élèves qui, très tôt, démontrent quelque talent ou quelque passion pour l'écriture. S'il est un domaine où on doit se spécialiser tôt, c'est bien celui-là.

Je ne suis pas un spécialiste de l'enseignement de la langue maternelle et c'est pourquoi je laisse à ceux et celles qui le sont le soin de trouver les moyens pour le faire mieux.

Mais j'insiste sur le fait que cela doit être fait en priorité, au risque même de négliger quelque peu certaines autres matières.

Ce n'est pas une question de principe. C'est tout bêtement une question aussi pratique que possible.

Parler, lire, écrire sont les conditions mêmes du fonctionnement de l'esprit dans une société contemporaine. On ne peut pas y échapper, sous peine non seulement d'appauvrir la collectivité mais également de priver les individus eux-mêmes de la vie de l'esprit.

Le corps commence à se dégrader très tôt dans la vie et les plus grands sportifs voient leur carrière terminée avant l'âge de 35 ans. Mais il reste toute la vie. Et cette vie ne peut être agréable que si on s'est donné les moyens de la vivre malgré et au-delà du corps.

Plus je vieillis et plus je suis heureux de savoir parler, lire et écrire. Je ne cours plus le marathon depuis longtemps, mais je peux encore fréquenter Proust ou apprendre, plus et mieux qu'à la télévision, ce qui se passe au Moyen-Orient ou dans la tête d'un Hubert Reeves pendant qu'il m'explique l'univers.

L'éducation doit viser non pas à nous rendre la vie facile pendant les 20 premières années de notre vie, mais à nous rendre tout le reste de la vie agréable.

On nous apprend trop ce qu'il faut faire pour rester jeunes éternellement. Il est temps qu'on nous apprenne à vieillir.

L'ENVIRONNEMENT

Il est tout à fait faux de prétendre que les générations qui nous ont précédés pendant des siècles furent plus soucieuses de leur environnement que nous ne le sommes.

Les populations étaient beaucoup moins grandes, l'industrialisation n'avait pas eu lieu et la nature, dans son abondance, pourvoyait à tous les besoins. Les nomades, chasseurs ou bergers, pratiquaient la politique de la terre brûlée : quand il n'y a plus rien, on déménage ailleurs et on recommence. Ça marchait parce qu'alors on pouvait déménager ailleurs et recommencer.

Ce n'est plus possible, mais cessons de prêter aux «anciens » des vertus qu'ils n'avaient pas.

La conscience écologique ne peut venir qu'aux peuples riches. Avant d'en être un, on survit comme on peut, souvent au mépris de la plus élémentaire des écologies.

Mais, puisque la conscience nous vient enfin, il faut en profiter. La qualité de l'environnement n'étant plus, dans la conscience d'un très grand nombre, une expression vide de sens, il faut en profiter pour en faire une des priorités de notre société.

L'irrémédiable et l'irréversible ne sont plus aussi certains qu'ils pouvaient l'être il y a quelques années.

Il est devenu possible de « sauver le monde » parce que nous avons pris connaissance de son état, parce que nous avons pris conscience de sa dégradation et que nous avons les moyens de l'enrayer.

Il ne manque que la volonté politique d'y arriver, cette volonté politique qui ne peut être l'apanage exclusif des gouvernements mais qui doit descendre jusqu'en chacun de nous.

Cela est en train de se faire et il faut accélérer le mouvement.

Je n'en dirai pas plus sur le sujet parce que je ne m'y connais que bien peu. Mais d'autres, plus lucides et plus conscients, m'ont suffisamment éveillé l'esprit pour que j'en vienne à la conclusion qu'il s'agit là d'un problème incontournable qui justifie pleinement son insertion dans ma liste des priorités.

L'ÉTAT QUÉBÉCOIS

Nous avons vu, dans un chapitre précédent, comment nous avons réussi à faire de l'État québécois ce qu'il est aujourd'hui.

Mais cet État est aujourd'hui malmené. On l'attaque de toutes parts en l'accusant d'être trop gros, ventripotent et inefficace. Et surtout, on le mine de l'intérieur en lui interdisant de jouer son rôle créateur et en le délestant toujours un peu plus de son pouvoir régulateur.

Ce sont les petits pays comme le nôtre qui ont besoin d'un État fort, surtout quand ce petit pays se trouve en situation précaire dans son environnement politique et économique.

Ce n'est pas quand on s'en sert que l'État engraisse, c'est quand on le laisse à ses habitudes indolentes et qu'on lui refuse les responsabilités qui devraient être les siennes.

Un État fort n'a pas besoin d'une fonction publique pléthorique, bien au contraire.

Si on se plaint de l'omniprésence de l'État, c'est que, en effet, il est dans toutes nos affaires et n'en finit plus de nous embêter avec ses tracasseries alors même qu'il ne s'occupe pas de l'essentiel.

L'entreprise privée québécoise ne serait pas aussi florissante qu'elle l'est aujourd'hui si elle n'avait profité de l'aide massive que lui ont apportée les grands organismes gouvernementaux depuis 20 ans.

Mais cette entreprise privée, qui se gonfle d'orgueil et croit pouvoir voler de ses propres ailes, semble oublier qu'elle reste toujours beaucoup trop fragile pour ne pas avoir besoin de la SDI, de la SGF ou de la Caisse de dépôt et de placements.

Ce n'est pas parce que Lavalin a accédé aux grandes ligues qu'il ne reste pas ces milliers de petites entreprises québécoises qui crèveraient si les politiques de l'État ne les soutenaient à tous les tournants dangereux.

Il faut des reins solides pour initier les grands projets dont notre société a besoin. Très souvent, seul l'instrument collectif que nous nous sommes donné peut le faire.

J'ai toujours cru qu'il est indécent de laisser à l'État toutes les charges et tous les canards boiteux tout en lui interdisant de s'occuper des entreprises rentables. Autant il est évident que l'État doit s'occuper des services essentiels, sans lesquels une certaine mesure d'égalité pour les citoyens ne pourrait pas exister, autant il devrait être évident que tous les profits ne devraient pas aller à la seule entreprise privée.

Ce n'est pas vrai que les entreprises d'État ne peuvent pas fonctionner correctement. Nombre d'exemples existent dans le monde qui démontrent le contraire.

Il serait indécent que les instruments puissants que nous nous sommes donnés ne servent qu'à enrichir quelques individus alors que toute la collectivité a contribué largement à leur épanouissement et qu'ils sont souvent les seuls à avoir assez d'envergure pour nous permettre de faire face au gigantisme de l'entreprise moderne.

La privatisation, dans la plupart des cas, est une politique de facilité et, pour économiser quelques millions à court terme, nous payons cher à long terme la rage que nous avons de détruire ce qui a été construit à grands frais.

L'espèce d'équilibre que nous avions trouvé entre l'entreprise libre et l'entreprise privée doit être maintenu.

Mais l'État québécois se doit également de rester fort, parce qu'il est le seul instrument de protection et de promotion de nos droits collectifs.

Où en serions-nous aujourd'hui si l'État ne s'était pas mêlé de zonage agricole, s'il n'avait pas légiféré dans le domaine de la langue, s'il ne s'était pas occupé de voter une loi anti-*scabs,* s'il ne nous avait pas donné une loi de l'assurance-automobile plus juste, s'il avait laissé les soins de santé aux hôpitaux privés, ou s'il n'avait pas permis aux femmes d'accéder à l'égalité juridique ?

C'est notre situation singulière en Amérique du Nord qui nous fait l'obligation de renforcer l'État québécois et de lui redonner une vitalité qu'il a perdue depuis qu'on le laisse tourner à vide et qu'on le confine à la distribution des chèques d'assistance sociale.

La volonté politique de réinvestir l'État doit nous habiter tous. Nous en sommes les propriétaires et les gardiens. Chez Provigo, les gardiens ne sont pas propriétaires.

Conclusion

DISPARAÎTRE

Disparaître ? Allons donc !

Les peuples ne sont pas plus éternels que les personnes et il se pourrait bien que le peuple québécois ne soit plus là dans 200 ans ou dans 1 000 ans.

À entendre certains, la fin serait pour demain.

Les conditions dans lesquelles s'épanouit notre petite collectivité française en Amérique du Nord ne sont pas des plus faciles, j'en conviens. Nous restons en position fragile.

Mais l'étions-nous moins sous le Régime français ?

L'étions-nous moins après la conquête, alors même qu'on mettait en œuvre, et systématiquement, les politiques qui visaient justement à nous faire disparaître ?

L'étions-nous moins en 1841, quand on fit l'Acte d'Union des deux Canadas pour mieux nous noyer dans l'empire anglo-saxon ?

L'étions-nous moins en 1867, quand le *BNA Act* consacra notre état de minoritaires au Canada ?

L'étions-nous moins à la fin du XIXe siècle, quand nous accueillîmes des dizaines de milliers d'immigrants pendant que des dizaines de milliers des nôtres s'exilaient hors les frontières du Québec ?

L'étions-nous moins il y a 30 ans, quand toutes les grandes décisions économiques et politiques nous échappaient complètement et que l'anglais dominait sur l'ensemble du territoire ?

Disparaître ? Allons donc !

Parce que nous ne faisons plus assez d'enfants ?

C'est un peu inquiétant quand on pense à la solitude de nos vieux jours et qu'on se demande qui paiera nos pensions de vieillesse, mais ça fait un bon bout de temps déjà que nos vieux meurent seuls et on ne va quand même pas semer la panique partout pour une vulgaire opération comptable !

À vrai dire, nous sommes fragiles mais plus forts que jamais. De toute notre histoire, nous n'avons jamais été aussi forts et tout concourt à le démontrer.

Nous pouvons démontrer également qu'il suffirait de peu pour nous placer en situation presque inexpugnable. Je crois l'avoir fait partiellement dans la dernière partie de ce livre.

Il est évident qu'on peut craindre le pire quand on s'attache à ne montrer que les dangers sans proposer les solutions. Et surtout quand on ne fait pas confiance au peuple québécois.

C'est vrai que nous ne sommes pas toujours à la hauteur de la situation. C'est vrai que nous nous précipitons trop souvent tête baissée dans tous les pièges que l'histoire nous tend. C'est également vrai que nous avons des paresses incompréhensibles et des langueurs de romantiques transis.

Mais il est également vrai que ce peuple, dans sa très grande majorité, a relevé tout au long de son histoire des défis autrement plus exigeants que ceux auxquels il est confronté aujourd'hui. Et il l'a toujours fait dans un désert politique, économique et culturel effroyable.

Mais nous sommes sortis du désert et nous sommes devenus un peuple moderne qui, s'il sait jouer de tous les instruments qu'il s'est donnés, peut encore tirer son épingle du jeu assez bien merci.

Nous ne faisons plus d'enfants ? La belle affaire !

On nous serine sur tous les tons depuis toujours qu'il n'y a pas de croissance économique sans croissance démographique. Évidemment, pour les charlatans qui ont quelque chose à vendre, cela devient vérité première. Mais à qui fera-t-on croire aujourd'hui que la Terre est dépeuplée et qu'elle manque de bouches à nourrir ?

Remarquez bien que si nous faisions autant d'enfants qu'autrefois on verrait les mêmes astrologues nous prédire la famine pour cause de surpopulation.

Nous atteindrons sept millions d'habitants, nous dit-on, puis nous plafonnerons, puis nous décroîtrons lentement.

Et puis après ?

Je n'arrive vraiment pas à voir où est la tragédie.

Premièrement, il n'est pas sûr que le mouvement soit irréversible. Deuxièmement, une immigration bien gérée pourrait nous permettre de ralentir le mouvement. Troisièmement, si l'inévitable doit se produire en l'an 2030 ou 2050, soit la décroissance lente, je ne vois vraiment pas en quoi le fait de n'être que six millions de personnes sur l'un des territoires les plus riches du monde puisse constituer en soi un danger mortel.

Peut-être pense-t-on que le peuple québécois, au sortir du Référendum de 1980, s'est endormi pour toujours et qu'il glisse lentement vers sa propre assimilation sans même s'en apercevoir.

Outre le fait que les peuples ont droit de reprendre leur souffle après des batailles épuisantes, je ne vois pas que le peuple québécois soit endormi.

Dans tous les domaines, il est plus actif que jamais et il crée tous azimuts comme jamais auparavant dans son histoire et comme peu de peuples le font dans le monde.

À moins qu'on imagine mal les jeunes prendre la relève d'une génération déçue de ne pas avoir réussi à faire flotter son grand bateau.

Mais, le grand bateau, il nous appartient à nous de le remettre à l'eau et de convier les jeunes à y embarquer.

D'ailleurs, si on en croit les dernières manifestations de notre belle jeunesse, elle ne demande pas mieux. Elle est prête à servir d'équipage si nous lui fournissons les timoniers.

Disparaître ? Nous allons disparaître parce qu'une génération n'arrive pas à retrouver ses rêves de jeunesse ?

Allons donc !

Et si nous avions été présomptueux ? Et si nous avions présumé de nos forces ?

Cela est fort possible parce que le rêve était démesuré.

Si nous acceptions aujourd'hui, avec un peu plus de modestie, de faire avec les autres ce que nous n'avons pas réussi à faire seuls ?

Si nous invitions les jeunes à se joindre à nous pour faire, ensemble, le bout de chemin qu'il nous reste à faire jusqu'à la libération ?

Ces jeunes, si discrets par ailleurs, ne demanderaient peut-être pas mieux.

Mais allons-nous les convier à une table dégarnie ?

Mettons la table et mettons-nous à table et invitons les nouvelles générations à partager le repas.

Oui ! la récolte a été bonne, même si nous avons perdu un champ de blé d'Inde.

Oui ! ce peuple a encore envie d'exister, même s'il se laisse séduire parfois par le chant des sirènes.

Oui ! ça vaut la peine de continuer.

Disparaître ? Allons donc ! Que disparaissent plutôt les prophètes de malheur qui n'ont jamais voulu croire que nous avions la force de nous rendre jusqu'au bout !

Vous souvenez-vous de ce jour où nous nous sommes remis en marche, quelque part autour de 1990 ?

MOI, JE M'EN SOUVIENS.

TABLE DES MATIÈRES

Achevé   Imprimerie
d'imprimer Gagné Ltée
au Canada   Louiseville